Pe. ZEZINHO, SCJ

Nós, os católicos romanos
INTRODUÇÃO AO CATOLICISMO PARA JOVENS E ADULTOS

Edição revista e ampliada

DIRETOR EDITORIAL: Pe. Fábio Evaristo Resende Silva, C.Ss.R.
COORDENAÇÃO EDITORIAL: Ana Lúcia de Castro Leite
COPIDESQUE: Luana Galvão
REVISÃO: Manuela Ruybal
DIAGRAMAÇÃO E CAPA: Bruno Olivoto

Com aprovação eclesiástica

Dados Internacionais de Catalogação na Publicação (CIP)
(Câmara Brasileira do Livro, SP, Brasil)

Pe. Zezinho
  Nós, os católicos romanos: introdução ao catolicismo para jovens e adultos / Zezinho. – 37. ed. rev. e ampl. – Aparecida, SP: Editora Santuário, 2016.

  ISBN 978-85-369-0443-6

  1. Igreja Católica – Doutrinas I. Título.

16-04195   CDD-230.2

Índices para catálogo sistemático:
1. Igreja Católica: Doutrinas 230.2

1ª impressão: 1983
38ª impressão

Todos os direitos reservados à **EDITORA SANTUÁRIO** – 2019

Rua Pe. Claro Monteiro, 342 – 12570-000 – Aparecida-SP
Tel.: 12 3104-2000 – Televendas: 0800 - 16 00 04
www.editorasantuario.com.br
vendas@editorasantuario.com.br

Prefácio

Por que este livro?

Sou um dos muitos sacerdotes que recebem milhares de cartas de fiéis católicos simples e sinceros, mas confusos com a pregação de outras religiões sobre Deus, sobre Jesus e sobre a Igreja. Depois do Concílio Vaticano II, muita coisa mudou na Igreja Católica, mas a compreensão dessas mudanças ainda não chegou a milhões de católicos, que ou não as entenderam, ou as rejeitam. Dentro de nossa própria Igreja há pregações que confundem os menos versados em catecismo. Não é fácil evangelizar. É tarefa que exige muito estudo e muita leitura. Mesmo assim, acontecem lacunas e falhas.

Em programas de rádio e revistas, tenho tentado esclarecer essas dúvidas, mas as cartas continuam chegando. Alguns católicos simples estão confusos com tanta gente ensinando outras doutrinas, e até caluniando a Igreja Católica. E esses fiéis se mostram sem respostas. Simplesmente não sabem o que dizer!

Escrevi, pois, este livro, para os católicos de coração sincero que gostariam de saber responder a muitas perguntas que alguns amigos ou adversários lhes fazem, ou que ouvem de ou-

4

tros católicos. São textos para quem quer saber um pouco mais sobre a sua Igreja.

Este livro não diz tudo, mas espero que diga o suficiente para que o católico não fique mais tão confuso. Ser católico é realizador e maravilhoso. Mas é preciso saber o mínimo dos mínimos, recheado de como, quando e por quê! Não se nasce católico... Aprende-se...

Em Jesus,

Pe. Zezinho, SCJ

Prefácio: Por que este livro?

I

O conceito de Deus

1. O conceito de Deus

Deus existe, mas não pode ser visto, nem descrito, nem imaginado. A Moisés Ele se definiu como Javé, em texto que tem sido traduzido como **Aquele que é quem é** ou **Sou quem sou** (Êx 3,14-15). Hoje, estudiosos transcrevem as palavras hebraicas "eyeh-asher-eyeh" como *serei quem eu for sendo*. Deus é sempre o mesmo, mas para quem o procura e para quem o estuda ele vai se revelando aos poucos. Moisés quis vê-lo e ouviu a advertência: "um humano não sobreviveria se me visse" (Êx 33,20).

Paulo afirma que olho algum e ouvido algum jamais foi capaz de vê-lo e ouvi-lo (1Cor 2,9). João diz que ninguém jamais viu Deus (1Jo 4,12). O mesmo Paulo afirma ter vivido uma experiência impossível de ser descrita (2Cor 12,2) e acrescentou que, agora, o que vemos é como por um espelho embaçado. Um dia veremos com mais clareza. Mas não será nesta vida (1Cor 13,12).

6

Para quem estuda religião, o conceito sobre Deus é o de um ser infinito e único, que não se parece com nada do que existe. No dizer de Karl Barth, ele é o Totalmente Outro. Não há como nem com quem ou com o que compará-lo. Ele é o ser primeiro e supremo, do qual tudo o que existe se originou direta ou sucessivamente. Deus quis criar. O mero ato de criar leva a acreditar que seriam seres inferiores. Se criasse alguém igual, teria criado outro Deus. Então, nem ele nem o Deus criado por ele mereceriam o nome de Deus. Um absoluto não cria outro absoluto. Enquanto os gregos acreditavam em deuses dos quais Zeus era o maior, mas não era nem o único, nem o primeiro, os hebreus cresciam na certeza de que Deus existe e é o único Deus que há. Os deuses pagãos pecavam. Suas histórias e teogonias estão repletas de cobiça, luxúria, ira, vingança e traições. Para os hebreus, Deus, a quem chamavam Javé, era **kdosh**, inatingível, inefável. Mais tarde, santo passou a significar também *perfeito, sem mancha*.

A tudo Ele preside e governa como criador e Pai. Deus sabe o porquê das coisas. Nós vivemos a interpretá-lo, tentamos entender como e por que Ele faz o que faz, buscamos compreender sua vontade, mas nem sempre a compreendemos ou aceitamos. Dizemos que foi vontade dele quando não foi e, muitas vezes, quando é vontade dele negamos que o seja.

O agir e o pensar de Deus não é como o nosso (Is 55,8). Então, ou nos curvamos aos acontecimentos que nos afetam e os aceitamos, ou nos revoltamos. Por ser inteligente e relativamente livre em suas escolhas, afirma-se que o homem é feito à imagem de Deus. Mas Deus é totalmente livre, e o homem não é. Não nos parecemos, nem somos iguais a Deus. Mas podemos dizer que, sendo **homoi,** semelhantes, temos e vivemos valores que apontam para Ele. A história de Adão e Eva trata desse assunto. Homem e mulher, que foram criados à semelhança de Deus, quiseram mais: quiseram ser iguais. Teimaram em ser o que jamais poderiam ser: iguais. A história revela a tentação permanente do ser humano de agir como pequeno deus. Fracassou e fracassará sempre.

I. O conceito de Deus

2. É possível provar que Deus existe?

O Livro do **Êxodo,** segundo dos livros da Bíblia, que narra todo o processo e a saga do Povo Hebreu em busca da Terra Prometida, mostra Moisés que ora falava face a face com Deus, ora via o anjo do Senhor e ora pedia para ver o rosto de Deus e nunca lhe foi permitido vê-lo. No mesmo livro, diz-se que Moisés falava com Deus, mas não o via com olhos carnais, nem seria capaz de vê-lo. Para os hebreus, ver não tinha o mesmo sentido que tem para nós. Podia significar vislumbre e não necessariamente visão. Dá-se o mesmo conosco. Temos vislumbres e não necessariamente visões de Deus. Pelos fatos e acontecimentos da criação e da vida, é possível vislumbrar e concluir que Deus existe. Mas, para quem optou por crer, basta um motivo, não é preciso muitas provas. Para quem optou por não crer, também um motivo lhe basta. Nenhuma prova convence! Pode-se crer ou descrer com facilidade. Mas pode-se ir fundo na fé ou na descrença. São experiências que precisamos respeitar. Por isso, as provas da existência de Deus são muito relativas. O mesmo fato pode levar uma pessoa a crer e outra a duvidar de Deus! A descoberta de Deus, mais cedo ou mais tarde, terá de ser um encontro pessoal.

Não decidimos que Deus existe. Decidimos apenas crer ou não crer que ele existe. É de Carl Sagan a declaração: Um ateu, ao afirmar que não crê em Deus, não está dizendo que Deus não existe, está apenas afirmando que não crê em sua existência.

Se Deus não existe, não fará diferença se um templo inteiro o invocar. Estarão todos enganados. Mas, se Deus existe, também não fará diferença se um governo ou um regime ateu o peitar e negar decretando que se pode abortar um feto humano criado por Ele. Deus continuará existindo, mesmo que seja proibido adorá-lo naquele país governado por descrentes.

3. Deus não é coisa: é pessoa

O primeiro conceito que se deve ter do Ser Absoluto, que é Deus, é que ele é o Deus dos vivos, como dizia Jesus (Mt 22,32).

Portanto, Deus não é uma coisa: é um ser que se basta a si mesmo, mas, porque vive e ama, ele se comunica por meio da vida que criou.

Nós, os católicos romanos

Embora não seja pessoa humana, Deus é pessoa, isto é, não é objeto, nem coisa sem vida. A palavra grega que se traduziu para o latim como **persona** se referia a uma máscara usada no teatro. O indivíduo projetava sua mensagem por meio da **persona**, sem deixar de ser ele mesmo. Uma realidade era a mensagem projetada, outra era o indivíduo que a projetava. Havia muito mais naquele indivíduo que usava a **persona**. O mensageiro não era a mensagem. O conceito de pessoa evoluiu, e hoje sabemos que a pessoa é muito mais do que aquele corpo e aquele rosto que vemos a nossa frente. O ser humano é mais. Deus é infinitamente mais!

4. O que é teologia?

Dentre as muitas ciências de que o homem se utiliza para crescer e conhecer o universo, existe uma chamada Teologia: *o estudo de Deus e de tudo aquilo que está relacionado com este tudo.*

Por meio da Teologia, o homem quer saber mais sobre Deus e entender melhor seu plano de Pai e Criador de todas as coisas e pessoas.

5. O que é teísmo?

Os humanos costumam assumir diversas atitudes diante do mistério que é Deus.

A atitude de buscá-lo, acreditar nele e aceitá-lo como Senhor de tudo chama-se *teísmo*. Você que me lê, provavelmente, é um teísta, isto é, crente em Deus.

6. O que é ateísmo?

Ao contrário daquele que crê em Deus e o aceita, a pessoa que não crê e não aceita a existência de um ser supremo, pai e criador de tudo, é um ateu, isto é, assume uma atitude de ateísmo.

"Os insensatos dizem em seu íntimo: Não há Deus", diz o Salmo 14,1. Nós cristãos, crentes que assumimos a doutrina de Jesus, somos instruídos a não ofender os não crentes. Entre eles, como entre nós, há os sensatos e os insensatos. Ninguém

I. O conceito de Deus

é tolo por não crer em Deus e ninguém vira sábio por dizer que crê. Há um ateísmo militante e há um teísmo militante. Fazem mais mal do que bem. É como querer impor aos outros as lentes que solucionaram nossa miopia... Nossas visões não são as mesmas...

7. Duvidar ou negar?

Às vezes, uma pessoa sincera não consegue crer, mas também não nega. Por sentir que lhe faltam dados suficientes para afirmar ou negar o sobrenatural, suspende o julgamento.

Portanto, duvidar não é o mesmo que negar. Respeitemos sempre a dúvida dos outros. "Às vezes quem duvida e faz perguntas é muito mais honesto do que os que creem, mas não se interessam em aprender mais." Há crentes e descrentes tolos, mas nem todos os crentes e descrentes são tolos.

8. O que é politeísmo?

O politeísmo é uma forma de religião, por meio da qual pessoas e povos acreditavam e ainda acreditam que há mais do que um Deus: aceitam dois, vinte ou até centenas de deuses; um para cada problema ou acontecimento. Para os cristãos, porém, só existe um Deus. E há muitas religiões que também acreditam em um só Deus.

9. O que é monoteísmo?

Monoteísmo é a crença de que só existe um Deus. Para essa fé os "deuses" não existem. As religiões, os povos e as pessoas que acreditam que não pode haver mais de um Deus são monoteístas. Por exemplo, os judeus, os cristãos e os muçulmanos são monoteístas. Mas para judeus e muçulmanos Deus é uma só pessoa. Para os cristãos ele é um só ser em três pessoas divinas.

10. O dogma de um só Deus

No cristianismo e, portanto, também no catolicismo, há uma doutrina que ninguém pode negar sob pena de, com isso, deixar sua religião: Há um só Deus e um só Senhor (Êx 20,3). Não há outro Deus (1Cor 8,4).

Nós, os católicos romanos

10

11. A Santíssima Trindade

Baseando-se em vários textos dos quatro Evangelhos e nas cartas dos apóstolos, as Igrejas cristãs acreditam que só existe um Deus; mas este Deus único é *Pai*, é *Filho* e é *Espírito Santo*. Por isso os cristãos sustentam a doutrina de que em Deus há três pessoas. Esse mistério não tem explicação fácil e escapa à lógica humana. Mas milhares de cristãos aceitam essa verdade como fundamental para sua fé: Deus é *Uno* e é *Trino*.

12. O conceito de Deus Pai

Jesus tinha um amor imenso pelo Pai. Chamava-o de *Abba*: que quer dizer Papai! E vivia nessa convicção (Jo 14,11). Entre os judeus, já vimos que Deus era chamado de Javé (*sou quem, sou--serei, quem eu for sendo...*). Jesus ensinou seus discípulos a chamarem Javé de Pai. Revelou Deus próximo e amoroso (Mt 6,8). Ele era **kdosh**, mas acessível. Entre os hebreus a palavra **kdosh**, **santo**, significava acima de qualquer alcance: altíssimo. Jesus deu a ela outro sentido: santo, sim, mas Pai que se manifesta e se importa a ponto de cuidar dos detalhes de cada um de seus filhos. Sabe de cada fio de cabelo de nossa cabeça (Mt 10,30).

Os cristãos que entendem isso atingem um grau de maturidade bem maior do que aqueles que tratam a Deus como alguém lá em cima, frio, inatingível e distante da criação (Mt 5,16; 10,32; Jo 14,21). Ainda hoje há cristãos que falam dele como "o Homem lá em cima"... Não entenderam a essencialidade da fé cristã: ama, revelou-se, visitou-nos, está no meio de nós. É o que os católicos dizem várias vezes durante a missa.

Em mais de 80 passagens no Novo Testamento está explicita essa atitude de íntima ligação entre Filho e Pai. Bastaria uma dessas passagens para começarmos a refletir sobre o Filho mais filho que este mundo já viu:

Porque, qualquer que fizer a vontade de meu Pai que está nos céus, este é meu irmão, minha irmã e minha mãe (Mt 12,50).

Todas as coisas me foram entregues por meu Pai, e ninguém conhece o Filho, senão o Pai; e ninguém conhece o Pai, senão o Filho, e aquele a quem o Filho o quiser revelar (Mt 11,27).

I. O conceito de Deus

13. A crença de que o Filho é Deus
(Cf. Mt 1,1; Jo 1,18; Mt 3,17)

Os cristãos acreditam que o Pai enviou ao mundo uma pessoa para servir de modelo para o ser humano. Esse modelo é o Filho que, com o Pai e o Espírito Santo, constitui um só Deus uno e Trino. O Filho, que se tornou humano como nós, amou tanto a humanidade, que viveu e morreu por ela. Nós cremos que Jesus de Nazaré é esta pessoa: *o Filho único de Deus*. E é por causa dele que, embora sejamos criaturas e humanos, podemos também nos considerar filhos de Deus. Ele incentivou nos discípulos essa forma de pensar (Mt 5,9). Nunca nos tornaremos Deus, mas podemos nos tornar seus filhos humanos por causa de Jesus, que, antes da encarnação, era o Filho divino, um com o Pai e com o Espírito Santo desde toda a eternidade. Mas, por pouco mais de 30 anos, viveu como filho humano. Não é fé fácil de explicar ou de seguir. Ateus inteligentíssimos a negam. Crentes de outra fé inteligentíssimos a negam. Cristãos inteligentíssimos a aceitam tanto quanto os simples, para quem, se Deus pode tudo, então ele pode se tornar humano.

Outros povos têm doutrina semelhante sobre Deus que se encarna e se faz humano. Se podemos crer, então podemos aceitar que nos questionem.

14. A fé na existência do Espírito Santo

São vários os textos bíblicos que falam da existência de alguém que é um com o Pai e o Filho, mas é uma pessoa distinta de ambos.

Por isso os cristãos acreditam que o Deus que é Pai e é Filho também é Espírito Santo, fonte de vida, amor e consolação.

Atribuímos a Ele as motivações mais elevadas da vida. Comparamo-lo com a luz que guia o caminhante na escuridão do caminho (Lc 2,27; 1Cor 2,12; 2Cor 3,17). Mas muitos cristãos atribuem o mesmo ao Filho que se declarou Caminho, Verdade e Vida. Compreende-se a partir da fé que temos o que se trata do único Deus agindo em nós.

Nós, os católicos romanos

12

15. *Primeira, segunda e terceira pessoa*

Essa maneira de falar de Deus não nos deve confundir. De per si já não é de fácil compreensão. Mas fique claro que em Deus não existe colocação, nem competição alguma. Nenhum veio em primeiro, em segundo e em terceiro lugar. Não existe 1°, 2° e 3° Deus. Só existe um, em três pessoas. Também não se pode afirmar que o que uma das pessoas faz a outra não faz. O Pai e o Espírito Santo jamais se encarnaram. Não se pode lhes dar uma forma humana. "Primeira, segunda ou terceira pessoa" é apenas um jeito de os cristãos se referirem ao Pai, ao Filho e ao Espírito Santo, mas não se trata de colocação em ordem de importância. As três pessoas divinas são iguais e perfeitas em si mesmas. Uma não é a outra, mas trata-se do único Deus. Ou se crê, ou se nega. Não há como explicar por A + B.

16. *O que é Providência Divina?*

Nós cremos que Deus não apenas criou tudo o que existe. Ele continua criando e atuando na criação. O Deus que se preocupa conosco a todo o momento é o Pai que jamais nos esquece. Vimos anteriormente que Jesus chega a dizer que Deus conta até o número de cabelos que temos (Mt 10,30). Vale dizer: importa-se com os mínimos detalhes de sua obra. É a esse amor da Trindade Santa, que está sempre voltado para nós, que a Igreja chama de "Providência Divina" (Mt 6,4; Mt 6,8; Mt 10,29).

17. *O que significa adorar a Deus?*

Adorar a Deus significa fazer algo mais do que orar. É *ad--orar*, colocá-lo acima de tudo e de todos, primeiro, ninguém antes, ninguém acima, ninguém igual, ninguém depois, porque Deus não teve um antes nem terá um depois. Ele sempre existiu e sempre existirá. Adorá-lo é admitir que só ele é absoluto e postar-se diante dele com atitude de quem o aceita como Senhor de tudo e o ama com afeto de filho agradecido.

É mais do que dizer palavras e fazer preces. É submeter--se a sua vontade e procurar desvendá-la nos acontecimentos da vida: é reconhecer que tudo é dele, tudo caminha para Ele

I. O conceito de Deus

(Ef 3,9). Não nos divinizaremos, nem seremos pequenos deuses, mas estaremos nele, criatura no criador. Deus nos chama para um dia vivermos para sempre com Ele e nele. Lá saberemos se é possível e como é possível. Quem adorasse outro ser ou pessoa mais do que a Deus teria eleito um deus menor; vale dizer: teria criado um deus a sua imagem.

18. O que significa venerar?

A veneração é o carinho e o respeito que dirigimos àqueles que, abaixo de Deus, merecem a admiração do povo de Deus. Adoramos somente a Deus, mas veneramos os santos que ele formou, em primeiro lugar Maria, a mãe de Jesus.

As preces que fazemos a eles, para que nos ajudem a amar a Deus como eles amaram e amam, fazem parte do culto de veneração (1Pd 1,2; 1Cor 6,2).

Nós cremos que só o corpo morre. A pessoa sobrevive. Afirmamos que os santos estão no céu com Jesus, que prometeu que um dia nos levará para lá. Eles já foram e podem nos ver e ouvir. Alguns deles são canonizados pela Igreja, que os considera modelos de fidelidade a Deus. Por isso oramos a eles, que já não sofrem dos limites desta vida. Veneramo-los porque souberam viver como Jesus viveu. Ainda falaremos dessa experiência.

19. O que é idolatria?

Há indivíduos que colocam objetos, prazeres, pessoas, amores, riquezas, troféus e estátuas, autoridades e até fenômenos da natureza no lugar de Deus. Chegam a prestar-lhes culto de adoração como se os homenageados fossem Deus. Adoram, portanto, a criatura e esquecem o Criador.

A essa inversão de valores se dá o nome de idolatria, que é um grave desvio da verdade.

20. Os dons do Espírito Santo

A Igreja considera que certos valores ultrapassam a escala do natural. São favores expressos e especiais de Deus para que a pessoa amadureça no plano pessoal e coletivo.

Nós, os católicos romanos

14

São eles: Sabedoria – Entendimento – Conselho – Fortaleza – Ciência – Piedade – Temor de Deus – (Hb 2,4; 1Cor 12,4). Mas há muitos outros. Ela destaca esses sem negar que haja outros dons.

21. Os atributos de Deus

Deus não pode ser visto nem descrito; nem mesmo imaginado. Sendo o ser mais substantivo e substancioso que é, Deus não precisa de adjetivos qualificativos. Ele simplesmente é quem é. Nós precisamos de adjetivo para nos explicitarmos, porque nem sempre somos quem deveríamos ser. Mas nossa religião pedagogicamente *atribui* a ele, entre outras, as seguintes características:

- Onipotente: *Todo-Poderoso.*
- Onipresente: *Está em toda parte.*
- Onisciente: *Tudo sabe.*
- Bom: *Quer-nos bem e quer nosso bem.*
- Invisível: *Não pode ser visto.*
- Inimaginável: *Não pode ser imaginado.*
- Infinito e ilimitado: *ultrapassa qualquer conhecimento que tenhamos dele.*
- Eterno: *Nunca teve começo nem terá fim.*
- Infalível: *Não erra.*
- Incriado: *Ninguém o criou.*
- Criador: *Tudo o que existe direta ou remotamente se origina dele.*

22. Deus criou o universo

Sabemos até agora que o universo tem milhares de galáxias e sextilhões de corpos celestes, entre estrelas, planetas e constelações. Sua distância e tamanho são tão inimagináveis e incomensuráveis que não é possível precisá-los em números. Nós que cremos em um Criador dizemos que nada disso é fruto do acaso. Havia e há um projeto e um projetista.

Cremos que tudo isso teve origem em Deus e obedece a um desígnio seu! (Gn 1,1; Ap 4,11)

I. O conceito de Deus

15

23. Como explicar a história de Adão e Eva?

De duas maneiras a Bíblia narra no livro do Gênesis o fato de que o homem não é fruto do acaso: foi Deus quem criou o ser humano e o quis homem e mulher, como quis no mundo animal dois sexos diferenciados.

A palavra *Adamah* quer dizer TERRA; ADAM, terráqueo. E a palavra *Eva* quer dizer cuidadora da vida. As versões variam, mas o sentido básico era este. A palavra HOMO, do grego, significa SEMELHANTE. Consagra o texto "Façamo-lo a nossa imagem e semelhança (Gn 1,26; 5,1). Semelhante não é igual, mas aponta para...

É, pois, uma narração simbólica para mostrar um fato real: foi Deus quem criou o ser humano e o fez de maneira toda especial (Gn 1,27; Sl 89,47; Ef 4,24).

24. Deus criou tudo a partir do nada?

O primeiro livro da Bíblia, chamado **Gênesis**, que trata das origens do Universo, da Terra e do ser humano, começa dizendo que no começo de tudo não existia absolutamente nada. Só Deus existia. Tudo o que existe veio depois e foi Deus quem decidiu criar algo diferente dele. Deus não precisou de coisa alguma para criar o universo (Sl 148,5; Ap 4,11). Por isso alguns autores chamam Deus de "O Totalmente Outro". Não há outro como ele.

25. Existe a evolução das espécies?

A mesma Bíblia que afirma que Deus quis e criou incontáveis obras **diferentes** dele, quis o ser humano **semelhante** a Ele. Semelhante ainda é diferente, posto que não é igual. Os autores dos livros da Bíblia registram uma hierarquia e um lento desenvolvimento do processo da criação. Usa a palavra **dia** e menciona **seis** dias de criação e **um** de repouso.

Como Deus não se cansa, é evidente que se tratava de uma parábola para o povo hebreu entender que a vida é um processo e que uma coisa vem depois da outra. Não fez por fazer: criou sucessões de tempo, de espaço e de obras. Muitos pregadores insistem no **criacionismo**, doutrina que sustenta que não houve criação continuada. Deus criou diretamente cada obra.

Nós, os católicos romanos

16

A Igreja Católica crê e ensina que Deus criou e continua criando até mesmo por meio do que já foi criado. Nesse sentido não há razão para rejeitar a teoria de que as espécies estão em constante evolução e mutação. Também nisso está a ação de Deus. Isso não nega Deus como Criador. A Igreja aceita a evolução como um fato possível. O estudo das espécies mostra um lento evoluir. O mesmo estudo que levou alguns a crerem mais, levou outros a negar a existência de um criador.

26. Deus criou o mundo em sete dias?

A Bíblia fala por imagens. Quando afirma que Deus criou o mundo em sete dias, não está se referindo ao dia de 24 horas, mas a etapas da criação e ao processo de mutação pelo qual passou o universo. Em tudo, Deus esteve sempre presente e atuante (Gn 2,2; Dt 5,14; Gn 2,3).

27. Deus atende e ajuda?

Amar não é fazer pelo amado tudo o que o amado deseja e pede. Nem sempre o amado sabe o que está pedindo. O que se ouve em muitas pregações aponta para uma visão utilitarista de Deus. Foi o caso daquele pregador, que se afirmava cristão e eleito. Falando dos que "não merecem" a ajuda de Deus, disse textualmente: -"Se não vão ao culto, se não aceitam Jesus e se nem dizimistas eles são, como esperam que Deus os ajude? Deus só ajuda os que o servem"... Condicionou o amor de Deus aos 10%. Outro dizia: "Quem não se converte não espere nada de Deus". Os dois ignoraram a gratuidade do amor e a misericórdia. Anunciaram um Deus *toma lá dá cá*.

Deus é livre para decidir como Ele achar melhor. Somos livres para aceitá-lo não por conta de suas decisões. Muitos o aceitam, muitos o rejeitam. O tema "liberdade e escolha" está detalhado em Jo 6,60-71.

I. O conceito de Deus

II

O Cristo da História e o Cristo da Fé

1. A palavra Cristo

Ao pronunciar a palavra Cristo estamos diante de um conceito. Um pregador **ungido** que os hebreus esperavam marcou a História. A cristologia envolve História e Fé. Há os fatos acontecidos com Jesus e por ele provocados, que o situam como o Ungido (Messias), o qual viveu entre nós, e há os enfoques da fé. Engloba quem ele realmente foi naqueles dias e como a fé o interpretou através dos tempos. Há, pois, o Cristo Histórico e o Cristo da Fé.

A palavra Messias (*Mashiah*), que vem da língua hebraica, significa: Ungido, consagrado. Aplica-se a quem recebeu Unção de óleo santo, que o consagrava a serviço de Deus (Is 10,1; Mt 4,17; Mc 8,29).

Os hebreus acreditavam que Deus lhes enviaria um libertador que restauraria a hegemonia de Israel (At 1,6). Este seria não "um dos", mas "o" Ungido de Deus.

18

2. Emanuel! *Deus está conosco*

Ao predizer a vinda do Messias, um dos profetas hebreus (Isaías) disse que ele seria presença de Deus entre os homens! *E--manu-el:* Deus Conosco (Mt 1,23), Emanuel-Shekinah. Usamos esses conceitos em nossas missas. O presidente da assembleia saúda os fiéis com: o Senhor esteja convosco (**Shekinah**). O povo responde: ele está no meio de nós (**E-manu-el**). São João Evangelista relembra esta fé ao dizer que "O verbo se fez carne e habitou entre nós" (Jo 1,14).

3. A palavra *"Cristo"*

A Igreja incorporou a sua Teologia a palavra grega XPISTÓS: *Ungido.* Os líderes espirituais dos judeus, diante da pregação que ouviam, perguntavam a Jesus se ele era o Mashiah de Javé, "O Cristo de Deus" (Jo 4,25; Mt 26,28; Mc 9,41). A resposta de Jesus os levou a pensar (Jo 5,36). Teria Jesus de se proclamar ou suas ações não falavam por si mesmas?

4. *Por que chamamos Jesus de Jesus Cristo?*

Os hebreus esperaram por muitos séculos a vinda de seu libertador, o Messias, ungido por Deus. Quando Jesus veio, não o aceitaram e não viram nele o esperado Messias.

Mas os cristãos, isto é, os discípulos e seguidores de Jesus, aceitaram-no e o reconheceram como Senhor. Para nós, portanto, Jesus é o Ungido de Deus. Por isso o chamamos de Jesus Cristo.

5. *Nasceu de Maria Virgem*

Uma coisa é compreender, outra é aceitar e outra, viver o celibato e a virgindade. O mundo continua a se dividir ante o mistério do sexo, do afeto, da reprodução e da renúncia por algum amor maior.

Isaías, um dos profetas dos hebreus, predisse que o Messias seria concebido por uma virgem, o que não significava desprestígio do casamento e da entrega dos esposos. Significava uma sublimação como sublime é também o amor de um casal vivido em santa alteridade.

II. O Cristo da História e o Cristo da Fé

19

A Igreja Católica crê que Maria, ao dar à luz seu filho Jesus, era virgem e permaneceu virgem de corpo e alma, devido à missão que o Pai lhe deu: a de gerar o Filho que se encarnava! (Is 7,14; Lc 1,27). Jesus poderia ter nascido de uma mãe não virgem. Isso não diminuiria sua missão. Mas é assim que diz o relato de Lucas e assim cremos. Não estávamos lá. Então temos a escolha de crer ou negar que tenha sido possível.

6. O papel de José, o carpinteiro

Dizem o relato e a tradição que José era carpinteiro em Nazaré. E desposou a jovem Maria, filha de Ana e Joaquim. Mas antes de haverem se relacionado sexualmente, Maria ouviu o anúncio de que seria mãe em circunstâncias incomuns. Guardou, porém, silêncio, mesmo porque seria difícil explicar o fato a José. Mas pediu ao anjo que enunciasse melhor aquele anúncio. MARIA QUIS SABER MAIS!

Deus revelou seu projeto a José, que acreditou e assumiu a responsabilidade de pai adotivo do Filho de Deus, gerado em Maria (Mt 1,19-22), associando-se assim ao mistério da encarnação do Filho de Deus. É crença da maioria dos cristãos.

7. Jesus não teve irmãos de sangue

Alguns grupos religiosos, baseados em textos isolados dos Evangelhos, concluem que Jesus foi o primeiro filho de Maria, mas que, depois, ela e José tiveram outros filhos.

A Igreja Católica pensa diferente. Uma leitura mais acurada dos textos mostra em diversas passagens que os mencionados irmãos de Jesus tiveram outra mãe. Para nós, Maria não teve outros filhos. E os que são apontados na Bíblia como "irmãos" dele são filhos de outra mãe e de outro pai. José, Tiago, Judas e Simão são citados como irmãos entre si e irmãos de Jesus. Mas Judas e Tiago são mencionados como filhos de Alfeu. Então o pai não era José e a mãe deles não era a Maria que gerou Jesus.

Para nós, Maria permaneceu Virgem e Jesus foi seu único Filho.

Nós, os católicos romanos

20

8. *Jesus era um homem livre*
A missão de Jesus estava estritamente ligada ao Plano de Deus. Seu compromisso era com o Pai (Jo 5,17) e com a libertação do gênero humano (Jo 16,24; Jo 20,21). Por isso, nunca se curvou a nenhum partido, poder, grupo ou ideologia de seu tempo, nem com eles compactuou. Viveu livre e morreu livre, comprometido apenas com o Pai, o Reino dos Céus, os pobres, os oprimidos e injustiçados.

9. *Jesus é o libertador*
Os cristãos reconhecem o papel de homens que libertaram seus países e povos. São "libertadores" políticos. Mas, para nós, Jesus é o libertador de todos os homens e povos, independentemente de raça, credo, cor ou condição. A Teologia da Libertação, da qual se falou e ainda se fala na América Latina, propõe Jesus como libertador do homem e dos povos em todos os aspectos da vida. Há correntes que se opõem à maneira como foi formulada essa teologia, mas é impossível negar que Jesus veio libertar as pessoas e os povos de toda a forma de opressão e não apenas a espiritual.

10. *Jesus é nosso salvador*
Chamamos Jesus de Nosso Salvador, porque cremos que ele morreu para nos salvar. Porém compete a nós aceitá-lo como nosso único Salvador, porque sua obra de salvação não terminou com sua morte e ressurreição: continua em cada um de nós e em sua Igreja. Bilhões ainda precisam libertar-se de seus grilhões.

11. *Jesus é divino e humano*
No começo, os apóstolos se maravilhavam de Jesus, embora não soubessem bem o que pensar sobre ele. Era mais do que viam? Houve uma situação em que exclamaram: "Quem é esse a quem até o vento e o mar obedecem?" (Lc 8,25). Mas, primeiro Pedro e depois os outros, foram se apercebendo do fato de que Jesus não era um homem comum. Após a Ressurreição veio a certeza: Jesus era humano, mas era mais do que humano (1Ts 1,10). A reflexão evoluiu até o dogma que hoje professamos: em Jesus havia uma só pessoa, mas duas naturezas, a divina e a humana.

II. O Cristo da História e o Cristo da Fé

A Igreja crê que Jesus é Deus e é homem. E continua vivo, no Pai e no meio de nós (Rm 6,9).

12. *Jesus é o Filho de Deus*

Que Jesus era um homem extraordinário os apóstolos sabiam. Mas, um dia, Jesus perguntou-lhes o que o povo pensava sobre ele. Passaram a ele o que tinham ouvido entre o povo. Após as respostas foi direto ao assunto: "E vocês, quem acham que eu sou?"

Pedro então lhe disse que o considerava o Messias que Israel esperava, o Filho de Deus Vivo. Jesus confirmou que sim. E disse que aquela não viera da cabeça de Pedro. E há outros fatos que levaram a Igreja, que nascia, a essa conclusão. Desde então, depois de muita reflexão, a Igreja crê que Jesus é Deus. Não é a fé fácil de explicar. Deus é três pessoas e Jesus é a pessoa Filho!

13. *Nós também somos filhos de Deus*

A Igreja crê que Deus é Pai, Filho e Espírito Santo e afirma que Jesus é *O Filho que se fez humano*. Em Jesus e pelos méritos dele somos também chamados filhos de Deus, porque nele o Pai nos fez herdeiros de sua mensagem.

14. *Jesus de Nazaré. Por quê?*

Às vezes Jesus Cristo é também chamado de Jesus de Nazaré. A razão desse título está no fato de Jesus ter passado sua adolescência e juventude em Nazaré. Só foi para Cafarnaum depois dos 30 anos.

Além disso, José e Maria eram de Nazaré. Isso mostra o sentido profundo da afirmação de João: "E o Verbo se fez carne e habitou entre nós".

15. *O dogma da encarnação*

A Igreja defende a doutrina de que um dia Deus se fez humano. Às vezes, os católicos menos informados confundem os termos encarnação e reencarnação. Jesus encarnou-se, mas não reencarnou!

Encarnar-se quer dizer: assumir a carne, ou seja, a natureza humana. O Filho se fez um de nós, formando-se nas entranhas de Maria. O Pai e o Espírito Santo nunca se tornaram humanos. Mas,

Nós, os católicos romanos

22

tratando-se de um só Deus, nós falamos em três pessoas divinas e proclamamos que a pessoa Filho se fez pessoa humana. Não entrou no corpo de nenhuma outra pessoa. Formou seu próprio corpo no ventre de Maria. Assumiu forma e natureza humanas com todas as consequências. Só não pecou. Deus não peca. Se pecasse não seria Deus. Mas ama a ponto de fazer kênosis: abaixou-se até nós.

16. Jesus morreu de verdade?

A vida e a morte são dois grandes mistérios do existir. Uma supõe a outra. Tudo, que nasceu e tem alguma vida, inapelavelmente morre. Diante desse mistério não é fácil entender o dogma da ressurreição. Nossa cabeça não entende qualquer alteração desse processo. Como somos um ser e uma pessoa também temos dificuldade em até imaginar um ser que seja três pessoas.

Quando a Igreja afirma crer na Ressurreição de Jesus, ela afirma que ele de fato morreu, mas, sendo Deus, ressuscitou. Alguns textos dizem que Deus o ressuscitou, vale dizer: o Pai e o Espírito Santo estavam lá na morte e na ressurreição. Outros dizem que ele tinha poder de voltar à vida como teve de se encarnar. As expressões "Deus enviou seu filho" e "Deus ressuscitou Jesus" são atribuições nossas para dizer que O PAI E O ESPÍRITO SANTO agiam em Jesus, o Filho. É a partir do dogma da ressurreição que a Igreja afirma todos os outros. Paulo diz que se Jesus não tivesse ressuscitado nossa fé seria inútil (1Cor 15,12-15)

17. Jesus ressuscitou após três dias

A Igreja anuncia, seguramente, que Jesus ressuscitou três dias após a morte na cruz. Os relatos desse fato estão nos seguintes textos bíblicos: 1Cor 6,14; Rm 1,4; Mt 17,9; Mt 28,6; Lc 24,34; Mc 16,1-19. Se duvidássemos de que Jesus está vivo, não haveria nem cristãos católicos, nem ortodoxos, nem evangélicos, nem pentecostais. Nossas diferenças às vezes nos separam, mas esse dogma nos une. Jesus ressuscitou e está vivo.

18. O dogma da ressurreição

Vimos que a doutrina da Ressurreição de Jesus é, para todos os cristãos, o fundamento de sua fé.

II. O Cristo da História e o Cristo da Fé

Tanto isso é verdade que, a partir da certeza de que Jesus ressuscitou, os discípulos começam o anúncio da Boa-nova de que Jesus era Deus e Senhor da vida! A morte não o derrotou senão por dois dias. Menos de 40 horas depois da morte ele voltou a viver. Quem negasse essa verdade teria optado por outra religião ou pelo ateísmo.

19. Ressurreição não é reencarnação
Nossos irmãos, os espíritas, a quem respeitamos por sua sinceridade, mas de quem discordamos, acreditam que existe reencarnação. Isto é, alguém que morre volta a viver noutro corpo. Nós não cremos em reencarnação. No caso de Jesus o que houve foi: *Ressurreição*. Ele voltou a viver no próprio corpo. Não reencarnou: Ressuscitou!

20. Jesus continua salvando o homem
O mistério da Salvação não terminou com a morte e a ressurreição de Jesus. Ele continua agindo em cada ser humano, que nasce, e em cada ato de amor, que eleva uma pessoa, aperfeiçoando-a como ser humano. Foi ele quem disse: "Eis que estarei convosco todos os dias até o fim dos tempos". E assegurou que se pedíssemos algo em seu nome este algo nos seria concedido. Não disse como, nem quando, porque a vontade de Deus se realiza do jeito dele e não do nosso.

21. Jesus é nosso mediador
Nenhum homem é digno de chegar diante do Eterno. Cremos que Jesus é o Filho eterno, que viveu um tempo entre nós. Por meio dele podemos chamar seu Pai de nosso Pai. E é por causa dele que podemos dizer que somos batizados no Espírito. Jesus disse que é o caminho, a verdade e a vida e que é por ele que chegaremos ao Pai. Mas é por ele que também viveremos no Espírito.

22. Nem todos os homens aceitam Jesus como o Messias
No mundo há muitas religiões. Mas nem todas admitem que Deus mandou seu filho ao mundo.
Apenas os cristãos, que somam além de 1,7 bilhão de pessoas, admitem que Jesus é o Messias esperado pela humanidade e o Filho de Deus que veio ao mundo.

Nós, os católicos romanos

24

23. *Quem matou Jesus? O povo judeu ou alguns judeus?*

A Igreja não aprova atitudes preconceituosas contra os judeus, porque na verdade não foi o povo judeu e, sim, alguns líderes políticos e religiosos que tramaram e conseguiram a morte de Jesus. Não gostamos quando outros povos dizem que o povo cristão matou seus líderes. Os verdadeiros cristãos não matam. Também não é justo dizer que os muçulmanos matam. Os bons muçulmanos não matam. O povo judeu gostava de Jesus, que era judeu, e o admirava. Por isso é bom evitar expressões como "judiar", "judiação" e outras. O povo judeu não tem culpa da morte de Jesus. Ele foi morto por alguns indivíduos que o odiavam, mas não pelo povo judeu.

24. *Jesus continua vivo*

Nós não adoramos um defunto e, sim, o Filho de Deus, que ressuscitou e está vivo na Trindade, que é um só Deus. Jesus venceu a morte e continua vivo. Agora está glorificado, pois com sua morte e ressurreição realizou o que ele afirmava ser o plano do Pai. Não é mais visto fisicamente, como naqueles dias em que viveu entre os discípulos, mas está vivo e presente em sua Igreja.

Pensemos em Jesus como Mestre e Líder Vivo! Descrentes ou crentes de outras religiões dificilmente aceitam levar adiante essa reflexão. Paulo dialogou com autoridades como Félix e Festo. Ao ouvir a pregação de Paulo alguns nobres ironicamente desviaram a conversa (At 24 a 25). Paulo respeitosamente não insistiu no discurso diante de quem decidiu não mais ouvi-lo.

25. *Jesus voltará de novo*

No *Creio*, oração da Igreja, recitamos todos os domingos que Jesus há de voltar na glória de Deus Pai. Esse evento se chamará **parusia**.

A Igreja crê que este mesmo Jesus que foi para seu Pai voltará uma segunda vez glorioso, em data que não se sabe.

Essa espera se chama Segundo Advento; como a primeira espera se chamou: Advento. Advento quer dizer: *Vinda; Chegada*.

II. O Cristo da História e o Cristo da Fé

III

Ser Igreja de Cristo

1. O que é religião?

A palavra religião significa: eleição, escolha. Outros afirmam que vem da palavra *Re-Ligar*. Qualquer que seja a origem, religião implica *escolha pessoal*, um ato de *ligar-se a Deus* e *aos irmãos* por uma atitude de fé e um voto de confiança no Criador, na vida e nas pessoas que nos cercam. Ninguém é religioso só para si. Todo ato de religião implica um compromisso com o bem do próximo e com a vontade de Deus a nosso respeito.

2. O que é religiosidade?

Religiosidade não é necessariamente o mesmo que religião. Há pessoas que sentem atração por fenômenos espirituais, mas não praticam nenhum culto nem participam de nenhuma religião.

Não são ateus nem materialistas. Possuem religiosidade, mas não praticam religião. Religiosidade é, pois, a atitude de procurar e aceitar os valores espirituais nos fatos da vida e da História.

26

3. O que se entende por fé?

Uma das melhores definições de fé consiste em: *Por causa de quem o revelou, aceitar como verdadeiro algo que não se vê nem se percebe com as faculdades naturais.* Ter fé consiste, pois, em crer mesmo sem ver. Quem insiste em primeiro ver para então crer não tem fé! Pode ser uma pessoa inteligente e honesta, mas não tem o dom da fé. Evidência é uma coisa, fé é outra.

4. A fé é um dom?

Há verdades que não se atingem com a simples lógica. A fé envolve algo mais do que o simples e correto uso da razão. A Igreja crê que a fé é uma graça de Deus. Há pessoas que não conseguem crer, embora se esforcem. Precisam ser respeitadas em sua falta de fé. Deus sabe por que as deixa na escuridão da procura. A fé é um dom de Deus. Se você a tem, agradeça.

5. O que é superstição?

Há crentes que, levados pelo medo ou pela ilusão de conseguirem favores ou proteção, atribuem a pessoas, objetos, fatos e acontecimentos uma força e um poder que eles não possuem. Virar uma estátua de costas, pendurar ferradura na porta, amarrar fitinhas no braço para ter sorte são formas de superstição. A Igreja não aceita essas práticas.

6. O que é fanatismo?

Há pessoas que se acreditam donas absolutas da verdade absoluta. Por causa dessa atitude assumem comportamento radical no trato com as pessoas.

O fanático põe sua religião ou sua crendice acima de tudo, em vez de colocar Deus e o Amor ao próximo como o objetivo de sua vida.

7. O que é Igreja?

A palavra Igreja vem do grego EKKALEIN, que significa: *chamar*. A Igreja é, pois, a assembleia dos chamados e eleitos por Deus, para levar a Boa-nova de Jesus Cristo à humanidade.

III. Ser Igreja de Cristo

8. As muitas religiões do mundo

As religiões expressam uma forma de cultura. Uma série de fatores e circunstâncias leva povos e pessoas a cultuar a Deus de maneira própria a sua índole. Isso ajuda a compreender por que há tantas religiões no mundo. A Igreja Católica aceita esse fato e respeita todas as religiões. Por isso busca o que há de positivo nelas e respeitosamente discorda do que não lhe parece verdadeiro.

9. As grandes religiões da terra

Costuma-se apontar como grandes religiões aquelas que reúnem o maior número de adeptos. Entre elas situam-se: o Cristianismo; o Budismo; o Shintoísmo; o Induísmo; o Brahmanismo; o Islamismo. Mas o Judaísmo, por ter sido raiz do Cristianismo e do Islamismo e por sua repercussão, é também incluído entre as grandes religiões.

10. As muitas seitas religiosas

Além das grandes religiões, há muitas divisões religiosas dentro de nossa mesma corrente religiosa. *Secta* significa uma porção separada do todo. Tais divisões, que em geral se constituem de pequenos grupos, são chamadas de SEITAS.

No mundo, calcula-se que existiram até agora mais de 22.000 *seitas religiosas que se definiram cristãs.* Não lhes agrada o termo seita, mas todas elas se separaram de algum outro grupo. A Igreja que mais tempo tem se mantido com a mesma organização é a Católica Romana.

11. O que é Cristianismo?

O cristianismo é a religião que afirma que Jesus de Nazaré era o CRISTO, o Messias prometido e Filho de Deus.

Foi em Antioquia que pela primeira vez se deu aos que acreditavam em Jesus o nome de cristãos: "gente que adora um tal de Jesus Cristo". Os cristãos adotaram o nome, conscientes de seu significado.

28

12. O que significa ser cristão?

Não basta saber e admitir que Jesus é o Messias, Filho de Deus, para, por conseguinte, proclamar-se Cristão. Além de dizer e proclamar isso, é preciso querer praticar seus ensinamentos e viver como Jesus viveu. Ele mesmo disse que seremos seus discípulos se fizermos o que ele manda.

13. Jesus Cristo proclamou um Reino

Jesus não veio ao mundo com a missão de implantar sistemas políticos e econômicos. Veio libertar a pessoa humana. Chamou sua concepção de vida e de convivência humana de REINO DOS CÉUS.

Ele não foi, pois, um líder político, mas o *Reino dos Céus* que iniciou deve influir em toda a vida do homem, inclusive na opção política.

14. A Igreja é o Reino de Deus?

Os cristãos, isto é, os seguidores de Jesus, afirmam que a Igreja é parte importantíssima do Reino de Deus e acreditam nela, isto é, na Igreja se pode realizar melhor a proposta de Jesus para a humanidade; mas não é só a Igreja Católica que pertence ao Reino de Deus. Neste entram todos os homens de boa vontade.

15. O que é a Igreja Católica?

Jesus disse que sobre a Rocha de Pedro construiria sua Igreja (Mt 16,18). A Igreja Católica acredita que herdou essa missão dada a Pedro e que é nela que o cristianismo atinge sua expressão mais completa.

16. As Igrejas Evangélicas

No seio do cristianismo há Igrejas que desviam em alguns aspectos da Igreja Católica. Entre elas situam-se as Igrejas Evangélicas ou protestantes. A separação aconteceu em várias etapas, por meio de Martinho Lutero, João Huss, Calvino e outros.

Eles fundaram Igrejas Cristãs dissidentes, por acreditarem que o Papa já não liderava mais os cristãos de maneira corre-

III. Ser Igreja de Cristo

ta. Seu protesto os levou a uma forma que julgavam, e até hoje afirmam, ser melhor que a dos católicos. Em alguns casos, há diálogo. Em outros, é clara a intenção de confronto.

17. As divisões dentro do Cristianismo

Não era e não é desejo de Jesus que os que o amam e nele acreditam vivam divididos. Ele mesmo disse que queria "um só rebanho e um só pastor". Infelizmente, porém, os homens são limitados e pecadores. Os cristãos ainda se desentendem em muitos assuntos a respeito da Bíblia e de Jesus. Tais divisões têm afastado muita gente do cristianismo.

18. Os espíritas são cristãos?

Para ser chamado de cristão, o mínimo que se exige é que alguém confesse e veja em Jesus o Filho de Deus. É preciso, portanto, admitir que Ele é o CRISTO, o Messias, e que é Deus e homem.

Há espíritas que negam a divindade de Jesus. Dizem que era um anjo de luz, mas não o Filho de Deus. Tais espíritas não são cristãos.

19. Sou cristão e católico!

Evangélicos ou protestantes afirmam que são crentes em Jesus. São, portanto, "cristãos". Entre eles e entre nós há alguns que se proclamam mais cristãos do que os outros.

Há quem diga que é cristão "evangélico". Nós somos cristãos "católicos". Somos todos crentes em Jesus, mas há os que gostariam de acentuar que só eles são crentes. Percebe-se nos cultos e nas entrevistas. Na verdade, católico subentende abrangente, e evangélico subentende compromisso com a Boa-nova. Por aí se vê que adjetivos nem sempre traduzem uma fé. Um abrangente também precisa ter compromisso com a Boa-nova e um comprometido com a Boa-nova precisa ser abrangente... Quando todos entenderem o que é essencial, essas diferenças não causarão tantas incompreensões como agora.

Nós, os católicos romanos

30

20. Católico, Apostólico e Romano

A Igreja Católica se afirma *Católica*, porque se considera UNIVERSAL, abrangente, para todos (Cat-holos, do grego, quer dizer *universal*), *Apostólica*, porque crê ser herdeira dos apóstolos, e *Romana*, porque sua sede e liderança está em Roma.

21. Una, Santa, Católica e Apostólica, Santa e Pecadora

A Igreja pretende ser, por chamado e missão: – Una, Santa, Universal (católica) e Apostólica (herdeira dos primeiros herdeiros da mensagem de Jesus, os apóstolos).

Mas admite que, embora chamada à santidade, seus membros são pecadores e precisam, a toda a hora, da graça e do perdão de Jesus Cristo. Oramos todos os dias a Maria, para que ore por nós pecadores agora e no momento de nossa morte! E começamos nossas eucaristias admitindo-nos pecadores.

22. O que é hierarquia?

A palavra hierarquia significa: "governo do sagrado". É o termo que nós católicos usamos para designar o ministério de nossos líderes religiosos, desde o Papa até os bispos e vigários. Ajudam a coordenar, animar e conduzir a Igreja.

23. Quem é o Papa?

A palavra "Papa" vem do grego. Significa: *papai*. É o termo carinhoso com o qual os católicos se referem ao bispo de Roma, que é o líder dos bispos do mundo inteiro e o chefe visível da Igreja Católica. Os papas também são chamados de **Sumo-Pontífices**. Leão I (440-461) assumiu pela primeira vez esse título.

É a instituição que mais durou em toda a História da Humanidade. Tem 2 mil anos. Existem cerca de 22.000 denominações cristãs no mundo inspiradas em Jesus, mas a Igreja Católica, liderada por um papa, desde São Pedro se considera a mais antiga de todas as que se proclamam cristãs. Os que discordam do papa ou do papado terão seus argumentos, mas, para nós católicos, trata-se de instituição acima dos papas. Eles passam, a liderança continua.

III. Ser Igreja de Cristo

Nós vemos na missão de cada papa a continuação da missão de São Pedro, que foi constituído líder dos apóstolos. Assim lemos, assim cremos.

24. Os bispos, cardeais e arcebispos

A Igreja Católica está administrativamente organizada em *paróquias, dioceses, províncias eclesiásticas e conferências nacionais.* São parcelas do povo de Deus que vivem em uma determinada região do país. Formam unidade com a Igreja Universal. O bispo é o que preside ou presidiu uma diocese, embora também haja bispos sem diocese. O arcebispo preside uma Arquidiocese e o Cardeal é o bispo que tem esse título por razões históricas e por ministério especial a ele conferido pelo Papa. São funções de maior responsabilidade no governo da Igreja. Cardeal vem de cardo, gonzo, suporte sobre o qual se apoia e gira uma porta... No caso, a instituição se apoia neles.

25. O Vaticano e a administração da Igreja

Os católicos somam perto de 1,3 bilhão de fiéis. Fica fácil entender que, de lá do Vaticano, nem o Papa nem equipe alguma poderiam liderar todos esses fiéis, em tantos países e em tantas situações diversas, sem pessoal e organismos competentes.

Por isso a Igreja tem centenas de organismos, grupos de estudos e instituições, por meio dos quais apreende e tenta solucionar questões de fé, disciplina e vivência, que afetam a caminhada de seus fiéis.

26. Os Sacerdotes

Pelo sacramento da *Ordem,* a Igreja designa alguns de seus fiéis do sexo masculino para missão de liderança entre os demais. Após constatar que eles possuem vocação e qualificações necessárias de testemunho, liderança e conhecimento de doutrina, ela os ordena sacerdotes. Não temos sacerdotisas. Tem sido a opção de nossa igreja.

O povo, que desfruta carinhosamente de sua liderança, chama-os de PADRES: *Pais!* Cabe a eles serem elo e animadores na comunidade cristã e ministros da palavra e dos sacramentos.

Nós, os católicos romanos

27. Os Religiosos e as Religiosas

Alguns fiéis são carinhosamente chamados "Irmãos ou Irmãs". Outros são chamados *Abades, Abadessas, Madres*. Os termos designam a fraternidade, a paternidade ou a maternidade espiritual que o povo de Deus vê nesses cristãos, escolhidos de seu meio e chamados a viver, em comunidades religiosas, algum carisma especial e alguma missão específica.

Em geral, fazem votos de *Obediência, Castidade* e *Pobreza* para se tornarem mais disponíveis às necessidades da Igreja e da comunidade local. Não são ordenados sacerdotes, porque sua vocação é a vida religiosa e não o ministério sacerdotal. Mas existem muitíssimos religiosos que também são sacerdotes. Inclusive, existem Institutos Religiosos só de sacerdotes.

28. Os Leigos

A palavra LAOS em grego quer dizer: *Povo*. Laikos, de onde se origina a palavra LEIGO, quer, pois, dizer: *Povo*.

Por isso é que a Igreja se intitula: *Povo de Deus*. Leigo é, pois, todo aquele que é chamado a crer em Jesus Cristo na Igreja e a santificar-se nele pelo serviço aos irmãos. Por não receber ministério específico, por meio das ordens ou da vida religiosa, é chamado: *Fiel; Leigo; Povo de Deus*. Os leigos são a imensa maioria da Igreja. A vocação de ser e agir como povo de Deus não é pequena nem insignificante. São os leigos que levam o Cristo ao mundo, porque lá onde eles estão estará a Igreja.

29. Os ministérios na Igreja

Na Igreja há muitas necessidades. Em função delas foram criados alguns ministérios, isto é: funções de serviço à comunidade. Desde o início foi assim.

Hoje a Igreja tem ministros da palavra, dos sacramentos, ministros da Eucaristia, ministro do Batismo. E considera ministérios inúmeras funções exercidas para o bem do povo e em nome de Cristo e da Igreja. Ministério é *serviço feito por amor!*

III. Ser Igreja de Cristo

30. O que é vocação?

A palavra latina VOCARE quer dizer: *Chamar*. A Igreja crê que Deus chama sempre seus fiéis:

- chama à vida;
- chama à santidade;
- chama à perfeição;
- chama ao serviço dos irmãos;
- chama ao amor.

E chama a tudo aquilo que torna seus filhos mais conformes a seu plano de Criador e Pai.

Há, pois, chamados gerais, que são para todos, e chamados especiais, que cada qual vai descobrindo à medida que amadurece em Cristo e na Igreja.

31. O que é Vida Religiosa?

Mencionamos anteriormente os *Religiosos* (n. 27). Na Igreja, um dos chamados especiais é o chamado à vida religiosa. Por meio dele, o fiel descobre que é vontade de Deus que ele se entregue ao serviço do Povo de Deus, em um carisma e em funções específicas: pelos votos de pobreza, castidade e obediência, vivendo de uma determinada maneira; acentuando em sua vida algum aspecto especial da vida de Cristo e servindo, por exemplo, nas missões, em escolas, hospitais, creches, asilos, paróquias e em outras funções que julgar ser missão sua na Igreja e no mundo.

32. O que é ecumenismo?

A palavra grega OIKIA quer dizer: *Casa*. Dela vem a palavra "Ecumenismo", que é um movimento cujo objetivo é levar as várias religiões a um diálogo fraterno, já que todos se sentem filhos do mesmo Pai.

É uma tentativa de reunir a família de Deus para resolver os problemas que separam seus membros.

Nós, os católicos romanos

34

33. O que é um Concílio Ecumênico?

As palavras *Concílio Ecumênico* vêm da mesma palavra grega OIKIA: *Casa*. Dentro da Igreja Católica há, de tempos em tempos, um "conselho de família", que reúne todos os bispos do mundo para discutirem assuntos que interessam a toda a Igreja Católica. Até agora já houve 21 Concílios Ecumênicos. O Concílio Vaticano II, que se realizou de 1962 a 1965, foi o último até agora realizado. Esse Concílio concluiu o Concílio Vaticano, que foi interrompido por conflito político e bélico em 1870.

34. O que é uma Diocese?

Diocese quer dizer: *Porção de Deus*. Refere-se a uma parcela da Igreja que está em uma região do país. Em geral envolve várias cidades vizinhas, das quais uma é a sede. A diocese é regida por um bispo, que, às vezes, tem um ou mais bispos auxiliares.

35. O que é uma Paróquia?

A paróquia é uma comunidade de fiéis dentro de uma diocese. Em geral envolve um bairro ou uma cidade inteira. Está sujeita ao plano da diocese. Quem a dirige é um sacerdote chamado de pároco. Às vezes, tem vigários assistentes, também chamados coadjutores.

36. O que é uma CEB?

Há vários anos, começou, em considerável escala e com bons resultados no Brasil, uma experiência chamada de *Comunidades Eclesiais de Base*. Até hoje, nas dioceses que as incentivam, elas prestam enorme serviço. Deixam claro o conceito de Igreja-povo, Igreja: comunidade de comunidades.

São grupos relativamente pequenos de fiéis que partilham suas vidas e experiências, tentando formar, como as comunidades primitivas, um só coração e uma só alma (At 2,42-47; At 4,32-35). As lideranças nascem na própria comunidade. Por isso também se fala das CEBs como: "Igrejas que nascem do povo".

III. Ser Igreja de Cristo

35

Hoje, há comunidades de vida às quais se dá o nome de novas comunidades. Sua organização incide mais na conversão pessoal e menos no político e social. Mas muitas delas assumem belos e admiráveis serviços sociais. E delas têm surgido vocações para a vida religiosa, sacerdotal e política. Não são CEBs, isto é, Comunidades Eclesiais de Base, por várias razões, uma delas é que seus membros vêm de outras bases, células e núcleos.

37. O que é uma Catedral?

As pessoas, às vezes, usam uma palavra sem saber seu significado. A palavra CÁTEDRA, em latim, quer dizer *Cadeira*. Igreja Catedral é aquela de onde o bispo preside as demais comunidades da Igreja na diocese e as ensina. Popularmente seria: o templo onde o bispo tem seu púlpito e sua cadeira de mestre na diocese. Por isso é a Igreja principal da diocese.

Falamos em Catedral da Sé, quando ela está no centro de uma cidade ou por ser o templo principal dos católicos na diocese. Hoje, algumas igrejas contrapõem-se a nós, intitulando seus templos de Catedral da Fé. Fiéis menos instruídos se deixam confundir. A palavra Sé indica liderança. E é claro que se trata de templo de fé católica. As igrejas novas não poderiam falar em Catedral da Sé, porque já existem as católicas. Então recorreram a termo semelhante, que não deixa de ser sinal de contestação e confronto.

38. O que é uma Igreja Matriz?

Uma diocese é subdividida em várias paróquias. Nas paróquias pode haver muitos templos a serviço das várias comunidades. O templo principal da paróquia, de onde o pároco coordena a comunidade paroquial, é chamado de Igreja Matriz. As demais são capelas das paróquias. O nome pároco vem do grego e significa: representante do líder, no caso, ele representa o bispo naquela comunidade.

39. Santuários

Os Santuários são Igrejas que gozam de privilégios e funções especiais em um país, em uma região ou diocese por causa do culto que ali ocorre.

Nós, os católicos romanos

36

Alguns Santuários são basílicas, isto é, são santuários especiais por causa de sua importância para a Igreja Universal. O Santuário de Aparecida, por exemplo, é uma basílica.

40. A religiosidade popular

O povo tem muitas maneiras de exteriorizar sua fé em palavras, gestos e atitudes.

A isso se chama: religiosidade popular. São gestos e costumes que o povo mesmo inventa. A Igreja respeita a tendência religiosa do povo: alguns atos e crenças ela aprova e incentiva, outros ela procura corrigir e esclarecer por se desviarem da doutrina de Jesus. A religiosidade popular é hoje um valor muito bom para a Igreja. Leva o povo a participar melhor.

41. A infalibilidade do Papa

Infalibilidade quer dizer: *a Virtude de não errar!*

O Papa é humano e pode errar em muitas atitudes e opiniões pessoais ou humanas.

Mas a Igreja crê que, se falar em nome da Igreja, abordar determinadas doutrinas, sobre as quais há um consenso geral, e se acentuar que é ensinamento para toda a Igreja e artigo de fé, nesse caso o Papa não erra!

42. O Sacerdócio do Povo de Deus

Não apenas os padres e bispos recebem de Deus o chamado para ensinar e transmitir a fé. O povo, em seu ambiente familiar, profissional e social, também ensina e transmite a fé em nome de Jesus. Por isso se afirma que o povo de Deus é um povo sacerdotal. Tem também seu sacerdócio específico como leigos na Igreja. Todos são chamados a profetizar e anunciar Jesus e o Reino de Deus, que é o projeto de Deus para a humanidade.

43. A Igreja é santa e pecadora

Deus quer que seus filhos cheguem à perfeição e à santidade. Mas acontece que somos criaturas limitadas, nem sempre fazemos o que é certo.

III. Ser Igreja de Cristo

Por isso a Igreja se proclama Santa por chamado de Deus e pecadora por contingências do ser humano. Ela sabe que é chamada, mas que precisa de perdão.

44. *Os novos conceitos de Igreja*

A Igreja, que se reuniu em Puebla para analisar e propor soluções para a América Latina (1979), acentuando o que já dizia o Concílio Vaticano II (1965), trouxe os seguintes conceitos até então pouco conhecidos entre os católicos:

• A Igreja é um povo santo e pecador.
• A Igreja é um povo peregrino – vive na História e caminha para uma meta ainda não alcançada.
• A Igreja é um povo enviado por Deus – este povo tem uma missão profética (mudar a História e levar o mundo ao Pai).
• A Igreja é um povo de servidores.
• A Igreja é uma Escola de Fazedores da *História*.

Sucessivos documentos reforçaram os conceitos:

• Igreja pobre.
• Igreja missionária.
• Igreja servidora.
• Igreja família santa.
• Igreja perita em humanidade.
• Igreja viva.

São mais de 100 títulos para explicar o que se entende por Igreja. O Concílio Vaticano II começa com esta busca: **Quem somos?** É uma definição progressiva, porque temos um ontem, um hoje e um amanhã aprendizes do Cristo ontem, Cristo hoje e Cristo amanhã.

Nós, os católicos romanos

Os livros que nos deram o Livro

1. O livro mais lido e editado no mundo

É praticamente impossível dizer quantas edições e em quantas línguas a Bíblia já foi escrita e traduzida. Mas é seguramente o livro mais traduzido, lido e divulgado em toda a humanidade.

2. Biblos: Bíblia

A palavra BÍBLIA vem do termo grego *Biblos*, que significa *Livro*. O plural de *Biblos* em grego é *Bíblia*. Portanto, Bíblia quer dizer: *Os Livros*.

3. A Bíblia é uma coleção de Livros Sagrados

Como o termo grego indica, não se trata, portanto, de um só livro e, sim, de uma verdadeira biblioteca: uma coleção de livros sagrados, lida e venerada pelos judeus e pelos cristãos. Para

40

uns e outros tem significado diverso e até mesmo, conforme a religião, maior ou menor número de livros. Falaremos oportunamente sobre o porquê dessa diferença.

4. Um livro de vários escritores e um só autor
De modo geral, as religiões que cultuam e respeitam a Bíblia concordam que o autor da Bíblia é um só: DEUS. Ele não as escreveu por um ato milagroso ou de magia. Ele a inspirou e quem a foi escrevendo foram os pregadores, profetas e escribas. Naquele tempo pouca gente sabia ler e escrever. Por muito tempo a Bíblia foi um composto de livros mais ouvidos do que escritos. Tudo era passado de boca em boca. Recitava-se e repetia-se oralmente.
Em resumo: querendo comunicar-se com a humanidade, sobretudo com seu povo eleito, Deus inspirou por longo período vários homens, que primeiro ensinaram oralmente e, depois, eles mesmos ou outros recolheram seus ensinamentos por escrito. Assim o conteúdo é de Deus, a forma e o estilo são de cada autor por Deus inspirado e chamado a falar o que está naqueles livros.

5. A Bíblia não é um livro só de Deus
As religiões também são concordes em dizer que Deus quis falar aos homens em linguagem que os homens entendessem. Por isso é que afirmam que Deus é o autor principal e que os vários autores humanos são autores secundários. A Bíblia é, pois, um livro de Deus, mas há nela a participação do homem, participação que Deus quis, como aliás é doutrina dos cristãos e judeus. Deus espera que o homem colabore com Ele em seu plano eterno e na obra de continuar a criação. Deus não faz tudo. Ele conta com seus eleitos.

6. A Bíblia não é um livro humano
Da mesma forma que seria errado afirmar que o homem não teve nada a ver com a Bíblia, também é errado afirmar que a Bíblia é invenção de algum profeta ou líder religioso, ou de vários homens religiosos. É certo que ali estão o estilo e o jeito de falar das pessoas humanas, mas o conteúdo transcende a essas pessoas.

IV. Os livros que nos deram o Livro

Nesse sentido a Bíblia é um livro divino. Nós cremos que não foi o homem que, por necessidade, inventou aqueles princípios e fatos ali narrados e, sim, que Deus agiu de maneira que sua ação fosse transmitida até nós da maneira como Ele queria. Sem a devida análise e interpretação, a Bíblia acaba um livro humano demais. O pregador despreparado acaba ensinando o que ele pensa que a Bíblia quis dizer, e não o que ela realmente quis dizer.

7. A Bíblia é um livro inspirado por Deus

Está claro que Deus não escreveu uma linha sequer naqueles papiros ou palimpsestos em que originariamente estava contida a Bíblia. Não o chamamos de *Autor* da Bíblia porque ele a ditou ou *Escreveu*, e sim porque o que ela contém veio dele. O autor humano funcionou "mais ou menos" como um obediente e, às vezes, confuso coautor que anota com suas palavras o que o autor divino, Deus, quis que fosse registrado para a humanidade toda. Uma leitura de Jeremias mostra a perplexidade do profeta ante a tarefa que tem pela frente. Eles percebiam seus limites.

Dizemos "mais ou menos", porque os estudiosos percebem adendos e acréscimos feitos por copistas e outros que interferiram nela ao correr dos tempos. Por isso a ciência chamada exegese é tão importante. Mostra o dedo de Deus e o dedo do homem no mesmo livro. Por isso precisamos tomar cuidado com trechinhos de Bíblia. Os manipuladores da fé dão sempre um jeito de fazer a Bíblia dizer que eles estão certos. Escolhem uns textos e descartam outros.

8. A Bíblia foi escrita não apenas para o povo hebreu

Pode até ser que o objetivo dos autores humanos fosse fechado: na maioria das vezes escreveram pensando em Israel. E até os cristãos ao falar de Jesus parecem falar por vezes a um grupo especial de pessoas. Mas, quando se vê e analisa o conteúdo, percebe-se que a mensagem serve para todos os povos, independentemente de lugar, tempo ou cultura. Deus pode ter tido, como teve, um povo escolhido. Mas foi exatamente para que o tornasse conhecido entre todos os povos, porque Ele é Pai de todos e não só de alguns.

Nós, os católicos romanos

42

9. Quantos livros tem a Bíblia?

As religiões se dividem quanto a esse particular. Existe um conceito de inspiração não muito claro para todas as religiões, por meio do qual consideram *Canônicos*, isto é, inspirados; *Deuterocanônicos*, isto é, vieram depois e não está claro se sua origem é sagrada; e *Apócrifos*: não são sagrados, são falsificações. E por não haver concordância nesse aspecto é que...

a) A maioria dos protestantes ou evangélicos afirma que a Bíblia tem 66 **LIVROS**, sendo 39 do *Antigo Testamento* e 27 do *Novo Testamento*.

b) Os Ortodoxos, Católicos e Anglicanos admitem 72 ou 73, sendo 46 ou 45 do *Antigo Testamento* e 27 do *Novo Testamento*.

c) Já os Hebreus admitem 39: o *Antigo* é para eles o *Único Testamento*. Eles ainda esperam o Messias e não admitem que Jesus foi o Messias ou o Cristo anunciado pelos seus livros. Portanto, para eles, não há dois testamentos de Deus.

10. Em que línguas foram escritos os livros da Bíblia?

Os livros do Antigo Testamento, com exceção de algumas palavras escritas em aramaico, foram todos escritos em *Hebraico*. Mais tarde, como havia muitos judeus no exílio, um grupo de setenta sábios (segundo se afirma) traduziu-os para o *Grego*.

Os livros do Novo Testamento foram escritos no *Grego Popular*. Mais tarde, por decisão do papa Dâmaso, junto com o Antigo Testamento, Jerônimo fez um estudo comparativo em várias línguas. Deu-lhe o nome de Vulgata, que significaria *popularizada*. Vulgata vem de **vulgus: povo**. Por muito tempo foi usada a versão Latina, mas hoje em dia muitas versões para o vernáculo partem das fontes originais, *Grego* e *Hebraico*.

11. Em que época foram escritos?

A Bíblia não foi escrita toda de uma vez. Os vários livros, já o dissemos, foram primeiro ensinados oralmente, depois alguém compilava e escrevia sobre pergaminhos (livro em forma de rolo), e, como não havia cópias em grande quantidade, pois nem papel,

IV. Os livros que nos deram o Livro

nem imprensa haviam sido inventados, a Bíblia era mais ouvida do que lida. E havia pessoas especializadas em ler a Bíblia. O tempo varia de livro para livro, mas pode-se dizer que os primeiros livros começaram por volta do ano 1200 a.c. e os últimos foram escritos por volta do ano 100 d.c. Ao todo levaram 13 séculos sendo escritos. Para compilar foi mais rápido. Teria durado uns 400 anos, após a morte de Cristo, para ser dado como definitivo quais os livros que os cristãos adotariam como sagrados. Nesse período houve muitas dissensões e rompimentos dentro do cristianismo. E ainda continuam as divisões. Basicamente, é a maneira diversa de ver as Escrituras que levou à formação de tantas Igrejas e seitas no mundo. A Bíblia sofre de leituras e releituras. O problema das escrituras são as leituras que delas se fazem.

12. O livro mais manipulado...
Lamentavelmente é o que afirmamos acima. Se a Bíblia é o livro mais lido, é também o mais manipulado. Quer isto dizer que qualquer pequeno grupo, que se julga chamado de maneira especial por Deus a ensinar ao mundo a verdadeira doutrina do céu, acaba fundando uma nova seita ou Igreja. E usa textos bíblicos para provar que a visão deles é a única que traz felicidade e leva a Jesus...

13. A Bíblia não é um livro fácil de entender
Na verdade, a Bíblia não é um livro que se lê como qualquer outro. Fala em linguagem que, por melhor que seja a tradução, espelha um modo de pensar de determinada época. Se a pessoa não tem noção do porquê daquelas expressões, traduz tudo literalmente e deturpa o que o autor quis dizer. Sem conhecer o contexto em que foi escrito, muita gente entende errado.

Por exemplo: para os Hebreus e muitos povos daquele tempo, o sangue era visto como a alma de uma pessoa. Isto é, a alma estaria no sangue. Por isso era proibido beber sangue até de animais. Mas o conceito de alma evoluiu. Contudo, por falta de cultura, ainda hoje muita gente usa a Bíblia para provar que não se pode fazer transfusão de sangue, porque Deus proibiu isso.

Nós, os católicos romanos

44

Não entendem que o motivo hoje é outro: trata-se de salvar uma vida. Além do mais, a alma não está no sangue. E há mais aspectos. Por isso é que há escolas sérias e ecumênicas de interpretação da Bíblia, para que ela não fique à mercê de pessoas que, possuindo pouco estudo, imaginam que só podem pregar ao pé da letra. Qual o cristão que rezaria hoje ao pé da letra os Salmos 9 e 10?... O leitor abra sua Bíblia e constate. Não terá de ser interpretado para nossa realidade, mudada por Jesus?...

14. As várias interpretações da Bíblia

Com o correr dos tempos, exatamente porque a Bíblia não é um livro fácil de ser entendido, criaram-se várias escolas de interpretação da Bíblia. Sobretudo nos últimos séculos foram publicados milhares de trabalhos dessas escolas, que pretendiam explicar melhor a origem e o conteúdo dos livros da Bíblia.

Entre elas destacaremos:

- a Escola Crítica;
- a Escola Mítica;
- a Escola Fundamentalista;
- a Interpretação Oficial da Igreja.

15. O que dizem as várias interpretações da Bíblia?

Algumas negam tudo o que há de sobrenatural nos livros sagrados. Dizem que era ignorância daqueles povos. O que afirmavam ser milagre e intervenção de Deus não era nada mais que fenômenos explicáveis pela ciência.

Outros dizem que Deus interveio em tudo e que tudo aconteceu exatamente como está descrito e que não há nada para ser interpretado na Bíblia. Que é uma blasfêmia querer mudar o que Deus disse... Que não houve evolução das espécies. São capazes de teimar que o sol se esconde e gira ao redor da terra e que o dilúvio cobriu toda a terra, porque a Bíblia disse que foi assim. Não admitem nenhuma leitura serena e inteligente dos textos sagrados com medo de que com isso se cometa um pecado contra a Verdade.

IV. Os livros que nos deram o Livro

16. A Bíblia pode ser lida ao pé da letra?
Poder pode, mas não ajuda. Se você convive com crianças, já deve ter percebido que há muitas coisas que elas não entendem. Então, você fala por imagens que caibam na cabecinha delas. Com sua imaginação e comparação, a criança começa a perceber aos poucos a verdade que você quer ensinar. Ora, se ela tentar voar como a águia de sua historinha, tomando ao pé da letra sua comparação, você dirá que aquilo era só uma historinha para ela entender outra coisa... Pois é assim a Bíblia em muitos aspectos. Ela fala por imagens em muitos de seus livros. A Melody tinha três anos quando desenhei seu rostinho e comecei a brincar de falar como desenho, como se fosse ela. Ela me interrompeu e disse: *Desenho não fala. Fale comigo!* Fez exegese!

17. Então tudo na Bíblia é apenas imagem?
Não. Há fatos concretos e históricos, comprovados até pela História Universal. São os livros históricos e a própria narração do tempo em que Jesus viveu. Mas há também muitos livros proféticos e sapienciais que realmente falam por imagens. Não é para tomar aquilo ao pé da letra. Por exemplo: A Bíblia em Lv 26,1 diz que é proibido fazer imagens de Deus. Mas em Nm 21,8-10 Deus manda fazer a imagem de uma serpente de bronze e quem olhar para ela será salvo.

Como é que fica? Deus proíbe e depois manda fazer imagem? O que é preciso é entender que há certas atitudes erradas com relação ao uso das imagens, mas que, se forem usadas corretamente, sem substituir o poder de Deus nem o próprio Deus, pode-se tê-las em casa (Êx 25,18).

18. É errado ler trechos isolados e fora de contexto
Um exemplo claro disso é a proibição do vinho ou bebidas alcoólicas em função da Bíblia. Está claro que a Bíblia condena o uso errado da bebida por conta dos distúrbios de comportamento que provoca. Mas a mesma Bíblia que condena o uso de bebidas em Jz 13,4; Rm 14,21 aconselha o uso delas em 1Tm 5,23-24 e menciona que Jesus bebeu vinho e até transformou água em vinho bom e puro (Jo 2,1-12).

Nós, os católicos romanos

46

Ora, se o pregador desejoso de levar seus fiéis a uma vida abstêmia só usar os trechos que condenam, está sendo desonesto. Como lhe interessa provar que a bebida é um mal, prefere esquecer os trechos em que ela é vista como um bem, desde que tomada com moderação e fins justificáveis (Jo 2,10; 1Tm 5,23). Por isso, quem se serve só dos textos que interessam a sua pregação e ideia e omite os outros que o contradizem começa uma manipulação da Bíblia. Por que fazer tamanho alarde contra o vinho e até acusar outras religiões de usá-lo, se está claro na Bíblia que Jesus e os apóstolos o beberam de maneira moderada? (Mt 26,26-29). Ou se usa a Bíblia com honestidade ou é melhor não a usar. Dinheiro também é como vinho. Se tomar vinho demais faz mal, arrecadar dinheiro demais e pregar sucesso financeiro e busca de riquezas também faz mal. Todo excesso leva ao insucesso.

19. As ciências ajudam a entender a Bíblia
Uma simples leitura da Bíblia deixa escapar muitos detalhes, mais do que importantes, para se entender o que ali está escrito. Por isso o estudo de algumas ciências ajuda a gostar mais e a entender mais ainda a Bíblia. Citemos algumas:

- a História Universal;
- História das Religiões;
- Arqueologia;
- a Geografia;
- as línguas grega, hebraica e aramaica;
- as religiões primitivas;
- Ciência Política.

Todas essas matérias ajudam a ler melhor a revelação de Deus, para aquele tempo e para nosso tempo.

20. As várias divisões didáticas da Bíblia
Para melhor entender os livros da Bíblia, os estudiosos a dividiram em vários itens. Mas os mais comuns são:

IV. Os livros que nos deram o Livro

- *os Livros Históricos;*
- *os Livros Didáticos;*
- *os Livros Sapienciais.*

Trata-se de livros que narram fatos históricos e mostram como a presença de Deus foi sempre marcante na história não só do povo hebreu como de todos os povos.

Outros narram fatos da vida de maneira didática, para levar o povo a um comportamento digno de quem crê ser o povo de Deus. Outros, ainda, ensinam máximas e princípios de sabedoria humana para enriquecer cultural e espiritualmente o leitor e ouvinte. Ensinam, pois, História, Doutrina e Vivência do cotidiano. Há outras divisões, mas já seria assunto para estudo posterior.

21. Por que há tantas traduções da Bíblia?

Já dissemos acima que, infelizmente, a Bíblia é usada por muitos para provar que estão certos. Como, às vezes, um grupo religioso discorda de outro, este acaba fazendo sua versão própria, certo de que ela é mais fiel ao texto original. Por isso há tantas bíblias e tantas traduções. Em nossa própria igreja há versões diferenciadas que, contudo, não deturpam o sentido da Vulgata, versão que a Igreja aceita. Algumas versões chegam a mudar bastante o sentido original dos textos. Pouco a pouco as pessoas honestas em todas as religiões começam a pensar em uma Bíblia comum, feita por todos.

22. Seria essa a Bíblia de Jerusalém?

Essa versão é uma excelente tentativa. Têm tradutores e comentaristas muito sérios e de várias religiões. Mas não é aceita por muitos pregadores. Consideram-na suspeita, porque, no Brasil, foi editada por católicos. Entretanto é uma das tentativas válidas de unir pessoas entendidas em Bíblia de várias religiões para ser o mais honesto e imparcial possível. Mas há outras excelentes traduções.

Nós, os católicos romanos

48

23. Tradução e versão são a mesma coisa?
Passar um texto do grego para o português, sem maior preocupação do que traduzir, com expressões e palavras, é uma coisa. Verter do grego para o português de maneira a tornar compreensível em termos de hoje, o que foi escrito em termos de ontem, é algo mais concreto e correto. Em geral, sobretudo ultimamente, as versões buscam seriedade e são feitas por pessoas que realmente levam a sério o estudo da Palavra de Deus. Um exemplo disso são as palavras hebraicas *eyhe asher eyeh* (Êx 3,14), que Deus teria dito a Moisés. Tanto podem ser traduzidas como **SOU QUEM SOU** ou como **SEREI QUEM EU FOR SENDO**. Evidentemente a pedagogia do conhecimento progressivo e da revelação progressiva faz mais sentido do que as certezas propostas por alguns pregadores. **Talvez seja assim** não significa o mesmo que **é assim**. A fé é muito mais uma grande procura feita de grandes procuras do que um achado definitivo. Só saberemos o certo e o suficiente no dia do grande encontro com Deus.

24. Por que se usa a expressão "Palavra de Deus"?
Os cristãos e judeus acreditam que a Bíblia contém a mensagem de Deus para a humanidade. Por isso o livro ou os livros que a contêm são também chamados de *Palavra de Deus*. Costuma-se também terminar a leitura de trechos da Bíblia com essa expressão, para lembrar o que significa ouvir a Bíblia: é ouvir a Palavra de Deus.

25. Os 4 Evangelhos foram escritos de trás para a frente...
De fato. Essa é uma forma de lembrar que primeiro a vida e os atos de Jesus foram narrados oralmente e só depois escritos e anotados em papel (Lc 1,1-4). Além disso, é a partir do fato da *morte e ressurreição* que os discípulos começam a anunciar que Jesus é o Messias. Começam, pois, sua catequese, mostrando que aquele que morreu e ressuscitou é Deus e Homem.

Até mesmo o fato de começarem contando que Jesus começou sua vida em Belém (Lucas), ou às margens do Jordão

IV. Os livros que nos deram o Livro

(Marcos), não invalida o conceito de que só o escreveram porque queriam falar daquele que vencera a morte. Os Evangelhos foram escritos porque Jesus ressuscitou. Não fosse isso não adiantaria escrevê-los.

26. O que significa a palavra Evangelho?

Em grego *eu-anguelion* quer dizer *a boa notícia*. Como eles narram, a vida de Jesus e sua doutrina são a *boa notícia* de que o *Filho de Deus* veio começar uma nova ordem e um novo reino de fraternidade e justiça no mundo. Por isso: *Evangelhos...*

27. Quantos Evangelhos existem?

Oficialmente e aceitos como inspirados por Deus apenas 4, isto é, os de *Mateus, Marcos, Lucas* e *João*. Mateus e João conviveram com Jesus como discípulos, e Lucas e Marcos foram respectivamente discípulos e seguidores de Paulo e de Pedro. Mateus era o Levi (Mt 9,9), cobrador de impostos que se converteu; Marcos era o João Marcos em cuja casa a comunidade cristã se reunia nos começos; Lucas era médico, convertido por Paulo; e João era o discípulo a quem Jesus queria bem de maneira especial e, provavelmente, era o caçula do grupo (Mt 4,21).

28. Mas fala-se em outros Evangelhos

Sim. Foram escritos muitos outros relatos da vida de Jesus, mas, com o tempo, a Igreja os foi descartando, porque os considerava não inspirados, por uma série de razões. São conhecidos como *Evangelhos Apócrifos*. Possuem trechos fantasiosos, que seriam difíceis de conferir por meio de testemunhas. Não portam verossimilhança. Além do mais, muitos foram escritos até séculos depois da morte de Jesus. A Igreja então optou pelos quatro acima mencionados por serem historicamente mais dignos de crédito.

29. O que significa a Bíblia de Guttemberg?

Nada de especial em termos de fé; apenas que Guttenberg ao inventar a imprensa decidiu imprimir, como seu primeiro trabalho, uma

50

Bíblia. Não acrescentou nada ao conteúdo. O que é seu mérito, isto sim, está no fato de haver tornado possível fazer da Bíblia o livro mais divulgado e lido no planeta, com a invenção da imprensa. E é significativo que tenha sido a Bíblia o primeiro livro a ser impresso pela nova máquina de multiplicar livros e seja ela ainda o livro que mais se imprime.

30. A Bíblia já foi um livro proibido?

Já foi e ainda é em muitos países. Primeiro se proibia para que ninguém mudasse seu conteúdo. Assim, só alguns fiéis de confiança ou maior poder aquisitivo podiam tê-la. Depois alguns governos resolveram proibi-la, por julgá-la contrária a sua visão materialista de mundo. E, ainda hoje, em muitos países com governos totalitários de direita e de esquerda, ou de fé fundamentalista, é proibido imprimir ou divulgar a Bíblia. Chega a ser crime passível de prisão e morte.

31. É verdade que a Igreja Católica proíbe a Bíblia?

Não é. Tanto que ela promove os círculos bíblicos e cursos sobre Bíblia, até mesmo com pessoas de outras religiões, dando aula em suas faculdades. Só no Brasil as editoras católicas vendem milhões de Bíblias. Além disso, todas as missas são feitas de orações e textos bíblicos. Não há um só dia em que a celebração da Igreja não mande ler ao menos dois trechos da Bíblia, do Novo e Antigo Testamentos. E celebra em torno daqueles textos.

Uma coisa são os católicos lerem pouco e demonstrarem pouco interesse pela Palavra de Deus e outra coisa é a posição da Igreja. Ela quer que os católicos leiam a Bíblia, mas sugere que a leiam orando, refletindo e estudando para entender bem.

32. Qualquer um pode interpretar a Bíblia como quer?

Há uma corrente de cristãos que dizem que se alguém lê a Bíblia com fé, Deus é o professor. Sustentam que não precisam de mestres nem de livros, porque o Espírito Santo ensina o que precisam saber.

A Igreja Católica e muitas Igrejas Evangélicas não concordam com isso. Não são poucos os que assumem atitudes erradas e, depois, dizem que foi o Espírito Santo que ensinou assim... A Bíblia precisa ser estudada, não apenas rezada e lida. Para isso existem os professores.

IV. Os livros que nos deram o Livro

51

33. O que significa exegese?

A palavra exegese quer dizer exatamente aquilo que mencionávamos acima: estudo e interpretação dos textos da Bíblia. As Igrejas cristãs têm um curso especial para quem quer ensinar a estudar a Bíblia em suas assembleias e escolas de fé.

34. A Bíblia se divide em capítulos e versículos. Por quê?

Por uma questão mais didática, o Cardeal Stephen Langton, que foi arcebispo de Cantuária († 1228), dividiu a Bíblia em capítulos. E foi Robert Estinne que, em 1551, pela primeira vez, subdividiu-a em versículos, para tornar mais fácil sua leitura.

35. Dizem que Lutero teve papel importante na divulgação da Bíblia, por quê?

Lutero foi um monge católico agostiniano, que rompeu com a Igreja e fundou o protestantismo. É considerado o primeiro estudioso da Bíblia, que a traduziu para uma língua moderna acessível ao povo. Antes, só era publicada em Grego e Latim. Ele a verteu para o Alemão popular. E orientou sua nova Igreja para o culto à Palavra de Deus como norma absoluta do fiel.

36. O que não está na Bíblia não é importante?

Há cristãos que dizem isso, mas exageram. O próprio São João Evangelista diz que Jesus ensinou muito mais coisas do que foram escritas. Havia na Igreja primitiva uma Tradição *Oral*. Nem tudo dessa Tradição Oral foi escrito mais tarde. A Igreja Católica aceita plenamente a Bíblia, mas acha que Deus se revela também, além dessas páginas, na História, nos fatos do cotidiano e no próprio ensinamento da Igreja.

37. O que as Igrejas criaram que Jesus não criou?

Por exemplo: os presbíteros, os diáconos, as diaconisas, os ministérios, as próprias traduções da Bíblia. Jesus não escreveu nem mandou escrever a Bíblia. Apenas ensinou sua verdade. Mas a Igreja decidiu escrevê-la, para que não se deturpasse mais tarde o que se passava de pai para filho. E as Igrejas não

Nós, os católicos romanos

52

erraram ao fazer isso. Por isso é que dizemos que não se pode afirmar que o que não está na Bíblia está errado. Há reverendos que dizem isso. Ora, o título de *pastor* ou *reverendo* não está na Bíblia... Nem o de *padre, arcebispo, leigo*... Nem os termos *católico, evangélico, pentecostal, metodista, adventista*... Deus permite ao homem criar, desde que não fuja do sentido fundamental de sua mensagem.

38. O mês da Bíblia

A Bíblia deve ser lida e rezada todos os dias. Mas, na Igreja Católica, para melhor conscientizar os católicos, foi criado o mês de estudos da Bíblia, que é o mês de setembro.

39. A Bíblia é infalível?

Sim. Afirma-se que a Bíblia é infalível, mas é preciso entender o sentido dessa infalibilidade. Não se trata de pegar qualquer trechinho e dizer: isso aqui é verdade absoluta. Ela é um livro religioso e não científico. Retrata a visão de um povo e o projeto de Deus para este povo. Pode conter imprecisões científicas, mas não perde seu sentido de *verdade* que conduz a Deus.

40. Um católico pode ler uma Bíblia protestante?

Sim, desde que saiba que para nós católicos o Antigo Testamento tem 7 livros a mais e que algumas questões são vistas por nós de maneira diferente, como, por exemplo, o caso dos chamados "irmãos" de Jesus. Para nós, por diversas razões depreendidas de textos como Jo 19,26ss.; Mt 27,61; 28,1, Maria só teve um filho. Os outros que são mencionados como "irmãos" dele são primos, possuem outro pai e outra mãe. É o caso de Judas e Tiago, que são filhos de Alfeu e outra Maria, e não de José e Maria.

E não há provas de ninguém mais que tenha sido filho de José e Maria. Além disso, ao morrer, por que Jesus confiou Maria a João Evangelista, que nem era seu parente (Jo 19,26ss.)? Se tivesse outros irmãos faria isso?

IV. Os livros que nos deram o Livro

41. Os livros do Novo Testamento
Os 27 livros do Novo Testamento são:

- 4 *Evangelhos*: narram a vida, os gestos e o pensamento de Jesus.
- 1 *Atos dos Apóstolos*: narra o que aconteceu com os primeiros discípulos de Jesus e como foi se formando a Igreja dentro e fora da Palestina.
- 14 *Cartas de São Paulo*: apresentam 14 das muitas cartas que São Paulo escreveu às comunidades cristãs e a pessoas que estavam sob sua responsabilidade, para orientá--los na fé e no comportamento de cristãos.
- 7 *Epístolas Católicas*: são cartas de outros apóstolos (Pedro, João, Tiago, Judas Tadeu). Ensinam princípios cristãos e relembram os ensinamentos de Jesus.
- 1 *Livro do Apocalipse*: é atribuído a São João e fala em linguagem simbólica o que vai acontecer até o fim dos tempos. É um livro de difícil interpretação e muita gente já se enganou querendo decifrá-lo. Serve como estudo para entender que a História pertence a Deus e não aos homens. Mas mostra que o homem pode ajudar o plano de Deus, fazendo a História junto com Deus.

42. É verdade que nem todos os livros pertencem aos autores indicados neles?
Há uma corrente crítica que exagera dizendo que nenhum livro da Bíblia pertence aos autores mencionados. Mas o certo é que alguns livros são seguramente do autor citado e outros talvez tenham mesmo sido recolhidos por outras pessoas além do autor citado. Mas isso não invalida seu conteúdo.

Nós, os católicos romanos

Dogmas e doutrinas

1. O que é dogma?

A palavra Dogma, de origem grega, significa *doutrina, ensinamento*. Na Igreja, quer dizer: um ensinamento que traduz uma verdade da qual a Igreja não abre mão.

2. Os dogmas do mundo

O mundo está cheio de verdades das quais não abre mão. O comunismo internacional tinha e ainda tem seus dogmas, o capitalismo tem seus dogmas, o islamismo tem seus dogmas e é difícil encontrar religião ou corrente ideológica que não tenham verdades das quais não abrem mão.

Se o adepto ou súdito quiser contestar, paga com prisão, exílio ou até mesmo com a morte, para não falar de exclusão vergonhosa dos quadros do partido ou da Igreja. Portanto, não apenas os católicos e protestantes possuem doutrinas das quais não abrem mão.

56

3. É bom ter dogmas?

É bom ter doutrinas das quais não se abre mão, mas não é bom recorrer à violência e à crueldade para mantê-las, como já aconteceu nos séculos passados, até mesmo dentro da Igreja, e acontece hoje em muitas religiões e partidos políticos no poder.

4. Pode-se mudar uma doutrina?

Pode-se dar um novo enfoque e até deixar de pregar uma determinada doutrina, caso se constate que realmente ela não é o que se imaginava ser. Por exemplo: por muito tempo na Igreja se ensinou que Deus tinha feito o homem de barro e o soprou. Hoje a Igreja entende aquilo como linguagem figurativa e admite que o homem possa ter sido criado de outra forma. O compromisso do cristão é com a verdade. Se for cristão de fato, não terá medo dela, como dizia Pio XI: *Não tenhamos medo da verdade.*

5. Alguns dogmas importantes para todo o cristão

- A *Encarnação*: o Filho de Deus se tornou um ser humano.
- A *Redenção*: Jesus salva e liberta o homem.
- A *Santíssima Trindade*: há um só Deus em três pessoas.
- A *Ressurreição*: Jesus morreu, mas ao terceiro dia voltou à vida.
- A *Ascensão*: Jesus está vivo no Pai e se faz presente na Igreja.
- A *Filiação Divina*: Jesus é o Filho de Deus feito homem.
- A *Remissão dos Pecados*: Deus perdoa o pecado, pelos méritos de seu Filho Jesus Cristo.
- A *Existência do Céu*: há uma vida para além da morte, em Deus.

6. Se o céu existe, onde é que fica?

Que há uma vida para além da morte a Igreja crê e afirma. Quem morre vai para o encontro definitivo com o Criador. Ora, já sem as limitações da matéria, que é o corpo, não precisará nem de tempo, nem de espaço. Logo, o céu não é um lugar. Não fica lá em cima, nem lá em baixo. Fica em Deus, isto é, *o céu é uma maneira de ser e viver em Deus.*

V. Dogmas e doutrinas

7. O Inferno também não é um lugar

A Igreja crê na possibilidade da existência do inferno, embora não se arrisque a dizer que alguém está nessa condição de sofrimento e ausência de Deus para sempre. Como nunca se sabe o que se passa nos momentos finais de uma vida, nem qual a hora exata da morte, ninguém pode afirmar que alguém já optou por Deus e seu amor até o momento final. De qualquer forma, não se trataria de um lugar de fogo, nem de caldeirões fervendo como querem as imagens poéticas e populares. Trata-se de um tormento da ausência do amor para sempre.

8. A Igreja já declarou que alguém está no céu?

Muitíssimas vezes. Cada vez que a Igreja "canoniza" um santo, ela declara que, se o Evangelho é verdadeiro (e para nós isso está claro), então Deus é justo e cumpre suas promessas. Constatando que em vida alguém levou a sério a Palavra que salva, ela crê e declara que determinado fiel está em Deus, salvo e santo, porque é impossível crer que, vivendo como viveu, tenha rejeitado o amor. Declarar que alguém "está" no céu a Igreja o faz muitas vezes. Mas nunca declarou que alguém "está" no inferno. Também não nega essa possibilidade.

9. Existe o purgatório?

A palavra latina *purgare* quer dizer: limpar. O *purgatório* seria então um lugar ou situação em que uma pessoa se purificasse para o encontro com Deus (Mt 24,3; 13,22). O texto da historinha de Jesus sobre a necessidade de chegar puro diante do Pai dá a entender que todos os que não estão na graça de Deus precisam reencontrá-la. Mas não se trata de *lugar* e sim de *circunstância*. Teoricamente o purgatório não precisa ser depois da morte. Os sofrimentos da vida podem ser esta purificação da qual Jesus fala.

10. O que acontece depois da morte?

Para a Igreja existem dois grandes momentos da vida, que é uma só: o momento presente, que é a vida humana do princípio ao fim, e o momento eterno, que é a mesma vida continuada no

Nós, os católicos romanos

58

Pai ou fora de seu amor, caso se concretize na pessoa a rejeição total desse amor. Não há *duas vidas, há uma vida,* que começa na concepção e continua para além da morte, agora, sem as limitações do tempo e do espaço. Não iremos para o túmulo. Debaixo da terra vai apenas nosso corpo. Nossa pessoa continua a viver em outra dimensão do existir.

11. Existem anjos e demônios?

A palavra *ânguelos* em grego quer dizer: *mensageiro.* A palavra *daimon* em grego significa oposição ao divino. É também definida como algo ruim, coisa ruim. Em português popular chamava-se o demônio de o *coisarruim.* Traduzia a ideia de *daimon.*

Quando se referiam aos *anjos,* mensageiros de Deus, os livros sagrados falavam de criaturas com forma especial, meio gente, meio luz, não sujeitos às limitações do espaço, que traziam mensagens de Deus aos terrenos. A ideia que passavam era a de que não eram humanos. No Antigo Testamento, além de homens e anjos, ensinava-se que Deus criara QUERUBINS E SERAFINS.

Quando se referiam aos demônios, não só os cristãos, mas os gregos e outras religiões falavam de divindades intermediárias entre Deus e os homens, mas em geral aéticas, de conotação negativa. Por muito tempo classificou-se tais personagens como *gente*: tinham forma humana. Os *anjos bons* tinham forma suave e até tinham asas, para simbolizar sua presteza em auxiliar e intermediar a favor do homem. Os *anjos maus* tinham forma repelente para dizer que eram contra o bem e faziam mal aos homens.

12. Mudou a crença na existência deles?

Mudou a ênfase. Está claro para a religião cristã que não se trata de seres parecidos com o ser humano. Deus não é humano, embora o Filho tenha se encarnado. Mas não podemos imaginar o Pai, nem o Espírito Santo, nem o Filho como humanos. Antes da encarnação do Filho seria impossível imaginar Deus em forma humana.

E está claro também que muitas passagens são simbólicas e estão falando da *maldade* que há no mundo e nas pessoas (*forças do mal, diabo, demônios*) ou da *bondade* que há no mundo

V. Dogmas e doutrinas

(forças do bem, anjos, mensageiros do amor). Assim, os textos que falam explicitamente de *anjos* ou *demônios* na Bíblia devem ser vistos dentro de um contexto. A Igreja afirma que o *mal existe* e é uma realidade. O *bem*, muito mais ainda, pois Deus não criou nada para o mal. Mas as criaturas que rejeitaram Deus e agridem o ser humano existiram e existem. Não interessa à Igreja determinar sua forma e, sim, o fato de que existem e são uma possibilidade que nem se deve afirmar, nem negar levianamente. O homem não é o único ser inteligente que Deus criou.

13. Por que a Igreja é contra o espiritismo e o candomblé?

A palavra *contra* pode denotar agressão. E não é bem isso o que acontece na Igreja. Ela não partilha da crença nem do Espiritismo, nem do Candomblé, ou de outras religiões que atribuem a espíritos poderes que eles não possuem.

No tocante às religiões fetichistas ou animistas, a Igreja guarda discreta distância, respeitando costumes, mas negando-se a concordar com suas doutrinas. Para a Igreja, não existe *reencarnação*, os mortos não voltam a se incorporar em pessoas vivas, e os fenômenos que acontecem nos centros e terreiros, com gente falando de forma estranha ou dizendo-se possuídos de outra pessoa do além com alguma mensagem, são vistos mais como fenômenos naturais ou paranaturais, mas não necessariamente coisas de outro mundo. Para a Igreja, o homem nasce e morre uma só vez. E nunca mais volta, nem sob outra forma de vida.

14. A Igreja é contra as superstições?

Superstição é o ato ou hábito de atribuir a coisas e pessoas poderes que não possuem. Como a Igreja crê que o ser humano é limitado e que só Deus tem poder, ela condena qualquer atribuição de poder a alguma coisa ou objeto. Portanto é superstição dizer que um crucifixo de madeira ou uma estátua é milagrosa. A fé que uma pessoa tem pode trazer até o milagre esperado, mas não é porque uma estátua tem mais poder que outra e sim porque a pessoa se motiva mais e ora mais, mostrando maior fé. Os milagres vêm de Deus para pessoas e não de coisas e objetos.

Nós, os católicos romanos

60

15. Então a Igreja crê em milagres?

Sim. A Igreja crê no poder de Deus e sabe que Ele pode interferir no curso normal das coisas, produzindo fatos extraordinários, que o homem ainda não consegue produzir e talvez nunca venha a conseguir. Aquilo que acontece acima da possibilidade do homem e comprovadamente para além do explicável é um milagre. Não deixa de ser um milagre alguém ficar suspenso entre o céu e a terra, sem apoio algum. Se amanhã, de repente, for descoberto algum fenômeno explicável, nem por isso deixou de ser algo além do poder consciente do homem. Por que negar que Deus intervém? Também o fato de muita gente haver se curado de doenças gravíssimas só pela oração, no tempo em que não havia remédios, foi milagre naquele tempo. Se hoje a mesma doença se cura com remédios, aquele milagre não deixa de ter sido válido.

16. Muita coisa não é milagre

O povo atribui com muita facilidade a característica de milagre ao que às vezes é fenômeno natural. Isso inclui os pregadores da fé que, na ânsia de conseguir adeptos ou notoriedade em tempos de mídia para milhões, não hesitam em proclamar milagroso o que nada tem de milagroso.

Por isso a Igreja toma muito cuidado em proclamar um fato como milagroso. Mas há fatos que ela admite como autênticos milagres. E, para não haver exploração da boa-fé do povo, ela deixa que gente estudiosa, cientistas e doutores especializados estudem o fato sob todos os ângulos. Só então ela se pronuncia.

17. A Igreja não crê em horóscopos. Por quê?

A Igreja aceita que existe um magnetismo regendo os corpos siderais. Ela não nega as descobertas da ciência. De fato, há provas de que determinadas conjunções de astros e planetas provocam fenômenos na terra, na água, nos planetas e na atmosfera. Está claro que também o homem está sujeito a tais influências. Mas fazer como fazem os horóscopos do dia, que pretendem definir comportamentos e destinos de uma pessoa, só porque ela nasceu em determinada data, isso não vemos como ciência.

V. Dogmas e doutrinas

Uma coisa é estudar a influência dos astros na vida humana e outra é diariamente dar conselhos vagos para pessoas nascidas em tal ou qual mês do ano em função deste ou daquele corpo sideral. Ou cremos que Deus deu liberdade ao homem, ou aceitamos o horóscopo que, em tese, nega essa liberdade... Não importa a data de nascimento ou o mês, o homem continua livre. Aqueles conselhos devem, pois, ser tomados pelo que são: piedosas sugestões de bom comportamento. Nada mais que isso. Assim como na religião, muita gente faz uso do horóscopo de maneira leviana. Como ciência séria que não pretende conhecer nem prever o futuro, o estudo dos astros e sua influência no homem é válido. Ficamos assim: eles discordam de nós e nós discordamos deles.

18. O que é heresia?

A palavra *heresia* vem do grego e quer dizer: *escolha*. Em termos teológicos, porém, quer dizer uma opção contrária àquilo que já foi definido como norma de fé. Quem, portanto, escolhe outra doutrina, contrária à que a Igreja ensina, é um herege. Optou por outra concepção de fé.

19. O que é cisma?

Já o cisma é algo um pouco diferente. Também tem origem no grego e significa: *separação*. No caso a pessoa pode até sustentar a mesma doutrina, mas não aceita viver junto sob a mesma autoridade ou prática em comum. Se não há divergência quanto a dogmas de fé, mas quanto à disciplina, pode acontecer um *cisma*. Por exemplo, se por causa das mudanças pastorais da Igreja um bispo decidisse fundar sua própria Igreja, onde só se rezasse missa em latim ou onde se vivessem as mesmas práticas do século passado, mas sem questionar pontos de doutrina, ele seria cismático, mas não herege. Fugiu da unidade e criou costumes que não refletem a tendência da Igreja Universal. Mas pode acontecer que alguém seja ao mesmo tempo cismático e herege.

Nós, os católicos romanos

62

20. A Igreja não excomunga mais?

Excomunhão quer dizer: *fora da comunidade*. A Igreja agora muito raramente faz isso, mas ainda acontece que ela declare algum escritor ou bispo fora da *unidade católica*. Não há, porém, o peso das sanções que havia antigamente. Ela, normalmente, limita-se, agora, a declarar que determinada pessoa não pode mais falar em nome da Igreja nem ensinar como católica, porque saiu da comunhão com a Igreja Universal. No passado, havia punições temporais bastante severas, mas a Igreja não tem mais esse poder temporal, nem faz uso daquelas sanções, até mesmo por opção pastoral.

21. Alguém pode ter duas religiões?

Há pessoas que frequentam duas ou mais religiões, mas seu universo interior deixa espaço a muita perplexidade e confusão, porque, se religião é vida, está vivendo vidas conflitantes e até maneiras conflitantes de encarar a vida. Psicologicamente é prejudicial ter duas religiões. Não cumprirá nenhuma delas com honestidade.

22. É pecado mudar de religião?

Muita gente muda de religião. Aliás, São Paulo – Paulo de Tarso – mudou do judaísmo para o cristianismo. E foi assim com os apóstolos. Mas nem sempre o processo de mudança é sereno, puro de intenções e sincero. Em muitos casos, a mudança é fruto do interesse, do imediatismo, do fanatismo, do desentendimento familiar ou comunitário e até mesmo de capricho pessoal. Nesses casos, o motivo é egoísta, e a intenção não é a sincera busca da verdade, mas o medo ou outros motivos. E, nesse caso, pode haver pecado.

23. A Igreja católica quer converter todos para o catolicismo?

Leiamos Paulo aos Romanos (11,14), que se dava por feliz se conseguisse salvar "alguns". O proselitismo é errado. Isto é, agir como se todo o mundo estivesse perdido e que só entrando para nossa Igreja é que alguém se salva... A Igreja, na declaração sobre

V. Dogmas e doutrinas

a Liberdade de Consciência, no Concílio Vaticano II, declarou seu respeito pelas outras religiões. Com isso, ela desaprova a atitude de puxar todas as pessoas para o catolicismo. Só aquelas que realmente entendem que encontrarão no catolicismo um bem maior e um valor que as levarão mais perto da verdade e do Cristo deverão ser acompanhadas e aceitas. As demais precisarão mostrar que entendem o que estão fazendo. Além disso, Deus ama também os não católicos. Se estão bem na outra Igreja, por que os atormentar com agressões e ameaças, como ainda fazem muitas seitas proselitistas?... Alguns proselitistas infernizam a vida de quem não aceita o céu por eles imaginado...

24. O que significa evangelizar?

A palavra *eu-anguellon* significa *Boa-nova*. Evangelizar é levar aos outros a *boa notícia* de Jesus.

25. O que é catequizar?

A palavra catequizar vem do grego e quer dizer *repercutir*, passar adiante, ou seja, *transmitir*. Mas também carrega a conotação de ensinar.

O processo de transmitir conhecimentos da doutrina católica e a maneira de vivê-la chamam-se *catequese*. Não se trata, pois, de só ensinar o *que é o catolicismo, mas também como se vive essa doutrina*.

26. Catequese de adultos?

Muitos cristãos pararam na infância. Depois das primeiras lições de religião, nunca mais aprenderam nada. Conhecem os títulos dos livros da fé, mas não conhecem seu conteúdo. Sabem o que é Bíblia e até possuem alguma, mas nunca leram. Nem leram, nem ouviram, nem buscaram saber mais. Para que entendam que é preciso crescer na fé e no conhecimento das verdades, como dizia Paulo a Timóteo (1Tm 4,14-16), a Igreja tem cursos de formação religiosa para adultos. E faz muito bem o católico que com humildade admite saber pouco sobre o assunto e busca aprender sempre mais.

Nós, os católicos romanos

VI

As ênfases dos católicos

1. Ênfases e acentos

Embora nós, católicos, busquemos a unidade de pensamento, de culto e de doutrina, nem sempre conseguimos. É a razão pela qual desde o primeiro Papa, Pedro, o pescador, a Igreja tem tido dificuldade de administrar as ênfases e as diferenças. Calcula-se em 22.000 o número de comunidades que advogam para si o nome de igrejas cristãs. A Igreja Católica é historicamente a mais antiga delas. Houve ênfases que separaram e deram origem a outras igrejas, houve ênfases que uniram e fortaleceram a Igreja.

2. Unidade na diversidade

Em muitos casos, as diferenças, as ênfases e os acentos enriquecem a fé e nos tornam ainda mais universais (*kat holou*) e abrangentes. É o caso das místicas, das ordens e congregações religiosas e dos movimentos que, cada qual com seu chamado específico e seu carisma, dão alento e novo impulso à fé católica.

66

3. Estranhos e desunidos

Outros casos, dentro e fora de nossa Igreja, as diferenças de culto e de concepção de tal maneira se acentuam e agudizam que os membros encontram dificuldade em tratar-se como irmãos. O diálogo se faz difícil.

4. Índoles e procuras

É próprio do ser humano procurar respostas mais consentâneas com sua índole. Há os imediatistas, os entusiasmados, os serenos, os de vislumbre (Lc 21,13), os deslumbrados (Mt 6,7), os lentos na compreensão (Lc 24,25), os pragmáticos. O temperamento e as índoles, além da formação e dos estudos, costumam arrastar o fiel para os grupos que oram, cantam, pregam, louvam e se comunicam de seu jeito. Aristóteles já mencionava esse fato ao dizer, quatro séculos antes de Cristo, que os fiéis iam aos templos mais para **pathein** do que para **mathein**. Em português mais fácil de assimilar, iam mais para *sentir* o mistério do que para *estudá-lo*.

5. Fé e Razão

O CIC (Catecismo da Igreja Católica) diz que (n. 27-28) o homem é capaz de Deus e que é possível encontrar Deus pelo raciocínio, mas acentua que há verdades que, se não fossem reveladas, a razão jamais atinaria com elas. Além disso, não basta saber e entender, nem basta sentir e entusiasmar-se. Há que se buscar a cultura do saber e do sentir, para que a fé atinja o que Paulo chamou de dimensões da fé.

De fato, ele diz aos Efésios (Ef 3,17) que desejava que o Cristo pela fé habitasse nos corações deles, a fim de irem progressivamente se aprofundando no mistério do Cristo em sua *altura, profundidade, comprimento e largura*. Era Paulo a lembrar que ninguém deve agarrar-se a uma ênfase ou um aspecto da fé e, sim, que haja abertura da mente para aprendermos sempre mais sobre Jesus.

VI. As ênfases dos católicos

6. *Glória a Deus e paz na Terra*

Em nossas celebrações eucarísticas, em quase todas elas, recita-se ou canta-se esse binômio, que se pode encontrar explicitado de outras formas em Lc 2,14; 19,38; Rm 2,10; Mt 25,31-46. Somos chamados a cantar a **kvod** (luz, glória) de Deus e a viver e promover sua paz aqui na terra, porque Deus é **kdosh** santo. Mas trata-se de uma paz inquieta que nada tem a ver com sossego e férias na montanha ou à beira-mar (Lc 12,51). Haverá quem lute contra ela e contra sua justiça e será preciso defendê-la. O mundo, cheio de dominadores e vencedores, nunca aceitará pacificamente nossa paz feita de justiça social.

João ensina que estaria mentindo quem dissesse que ama a Deus sem amar os seres humanos (1Jo 4,20). É a dinâmica do lá e aqui... E Jesus acentua que não haverá céu lá, para quem não se importa com a paz aqui (Mt 25,31-46). Os fazedores da paz terão o céu como recompensa. Os indiferentes à dor dos outros pagarão alto preço. Aos que a pretexto de pregar religião exploram os pobres e as viúvas vale dizer: os carentes pagarão preço ainda maior (Mc 12,40).

7. *Cultura de louvor*

Kvod ou **Glória** era uma luz invisível (Êx 16,7-10; 24,16-17; 33,22; Jo 11,40; Lc 9,29-34), que agia na nuvem, que mostrava caminhos e revelava a presença de Deus entre os hebreus. Estes adoravam o Senhor por sua glória ou luz invisível, mas que se fazia perceptível. Não adoravam a luz e, sim, o Deus que a emitia. Moisés quis ver a glória de Deus, mas só teve um vislumbre. Não aguentaria encará-la (Êx 33,20). Jesus também um dia, na transfiguração, manifestou sua glória e os discípulos não tiveram coragem de encará-la.

Hoje cantamos **o glória**, ou hinos **à glória** de Deus, que não são senão hinos em homenagem a sua luz invisível, mas perceptível. É a proclamação de que Deus age no indivíduo e na História. E na missa o fazemos logo após termos invocado o Deus que perdoa o pecador. Sua misericórdia nos perdoa e sua glória nos ilumina e nos conduz. A cultura do louvor é essencial em nossa Igreja, que se sente pecadora, mas perdoada e iluminada.

Nós, os católicos romanos

68

8. Chamados a louvar

Alguns grupos católicos vivem esta cultura de maneira radical. Servem a sua índole e combinam com a catequese que receberam em seus encontros. Encontram dificuldade em compreender ou assimilar outras culturas igualmente católicas. De cada 20 canções que cantam 19 abordam o louvor, a penitência e a ação e graças. Escolheram o louvor como forma de se relacionar com Deus. Tocam e sentem o Senhor e oram para que o Senhor os toque. Quando não se fecham em redomas nessa cultura, trazem imensa riqueza espiritual para a Igreja, que não sobreviveria sem o louvor e a oração.

9. Cultura de alteridade

Milhares de católicos morreram em virtude desta outra cultura: a da alteridade, que também se chama caridade. A palavra *xaris* deu origem a outras como *eucaristia, carismas, caridade. Xaris* aponta para algo maior, dom, valor que agrega e qualifica a pessoa, charme, qualidade, chamado, marca. Todos temos algum carisma, algo especial que, se desenvolvermos, redundará em benefício da comunidade.

Mas o maior *xaris* é a caridade, porque se trata de dom que serve os outros dons e de valor a serviço dos outros valores e dos desvalorizados, que os antigos denominavam os *go-el*. Se não fosse El (Deus) por aqui não teriam ninguém por eles. Mas quem vive a caridade de El, torna-se defensor deles. A já citada passagem Mt 25,31-46 mostra com clareza o cerne da fé em Cristo: a paz na terra.

10. O mais importante e o mais urgente

Em nossas missas, um pouco antes de entrar na fila da comunhão para viver a Eucaristia, os fiéis são convidados a, outra vez, admitirem-se pecadores ao recitar ou cantar ao Cordeiro de Deus, que tira o pecado do mundo, que tire também o nosso e nos dê a paz.

A seguir, nós, que pouco antes fomos convidados a dar os abraços da paz consoante Mt 5,23, somos chamados à reflexão

VI. As ênfases dos católicos

69

sobre o que é mais importante e o que é mais urgente. O primeiro mandamento é o amor e o louvor a Deus. Este é o mais importante, mas não é o mais urgente. Em Mt 5,23, Jesus diz que, se tivermos uma oferta diante do altar e nos lembrarmos de alguém sem paz, devemos primeiro ir lá fazer a paz e só depois trazer o louvor. É Jesus a dizer que o louvor é o mais importante, mas a paz é mais urgente. Nossas liturgias são escritas em função desse binômio.

11. Ele está no meio de nós

A liturgia que antes entoava o hino à gloria de Deus dizendo: *Glória a Deus nas alturas e paz na terra aos homens de boa vontade...* foi ainda mais longe e cantou *paz na terra aos humanos que ele ama.* Incluiu todos e não apenas os de boa vontade...

A mesma liturgia, que era conduzida em latim pelo celebrante, depois do Concílio Vaticano II, que ressaltou a vocação sacerdotal do povo de Deus, colocou o sacerdote voltado para os fiéis. Ele mudou de lado no altar e agora saúda o povo não mais em latim, mas em vernáculo.

Se antes havia e ainda há ritos que dizem: *O Senhor esteja convosco (Dominus Vobiscum),* com os fiéis a retribuir dizendo: *E com o teu espírito (Et Cum Spiritu Tuo),* agora, em muitos países, já se pode dizer – *Ele está no meio de nós...* É a proclamação da Igreja, que crê na presença de Deus ali, onde dois ou três se reúnem em seu nome.

12. Vou indo, Senhor; Vem, Senhor!

Nossa índole e nossa catequese mostrarão por nossas atitudes que conceito temos de Deus. *Vamos a vós, vinde a nós* podem ser mais do que simples frases de efeito. Em muitas situações precisaremos que Deus venha nos ajudar e nos tirar de alguma situação difícil. Em outras, podemos e devemos ir a ele, porque Deus nos capacita com sua graça para solucionar muitos dos problemas que nos afligem. Não precisamos ser sempre manhosos, dependentes e carentes diante do inusitado ou da dificuldade.

Nós, os católicos romanos

70

Dois irmãozinhos gêmeos de um ano e meio brincavam na sala, quando a mãe, percebendo a chuva que se aproximava, correu para o quintal para recolher a roupa no varal. Nesse momento, um formidável estrondo de trovão sacudiu a casa. Os dois gritaram de medo, mas um deles, enquanto gritava pela mãe, foi procurá-la. O outro, impotente e incapaz de reação, gritava para que a mãe viesse pegá-lo no colo. Duas atitudes, duas índoles. *Deus, onde estás? Desde a aurora eu te procuro! (Sl 63,2). Senhor, que queres que eu faça? Fala, Senhor, que teu servo escuta! (1Sm 3,10). Vem me tomar no colo! Eu clamo dia e noite! (Sl 22,2). Sem teu auxílio eu desfaleço! (Sl 69,3). Vamos a Ti, vem até nós...* As preces e as atitudes que assumimos mostrarão se somos capazes de Deus e capazes de caridade ou se somos incapazes e Deus tem de fazer tudo por nós, porque nos sentimos um zero à esquerda.

Jesus dá a entender, em suas parábolas e recomendações, que devemos usar dos recursos que temos, antes de pedir que Deus intervenha em tudo (Lc 19,22).

Na missa, os católicos, primeiro, são chamados a dar a paz, que está no gesto de quem vai ao outro, e só depois a comunidade ora, no Cordeiro de Deus, para que ele lhe dê mais paz...

VI. As ênfases dos católicos

VII

Moral Católica

1. Ato, hábito e costume

Levantar-se às 6 horas da manhã uma vez é um *ato*. Levantar-se às 6 horas da manhã algumas vezes são alguns *atos*. Levantar-se às 6 horas da manhã todos os dias é um *hábito*. A repetição de determinados atos ou atitudes de maneira regular chama-se *hábito* ou *costume*. Um costume pode ser bom ou mau. Se é bom, é *hábito*, se é mau, em geral, chama-se *vício*.

2. Moral Cristã, Moral Católica

A palavra *mos* em latim quer dizer *costume*. A repetição de alguns atos vividos à luz do Evangelho é um *costume cristão*. A *moral cristã* seria o estudo e a análise desses atos e hábitos, à luz dos ensinamentos de Cristo. Mas, como há diferentes interpretações da Bíblia, há comportamentos que nós católicos desaprovamos e outros cristãos aprovam e há atitudes que admitimos e outros não. Por isso é que se fala em Moral Católica. Por exemplo: não favorecemos o divórcio, nem casamento gay, nem aceitamos leis pró-aborto.

72

3. As Bem-Aventuranças

Entre os costumes cristãos propostos por Jesus, no Evangelho escrito por Mateus (Mt 5,1 a 7,29), encontra-se o que a Igreja chama de *Bem-aventuranças*. São elas:

- Bem-aventurados os pobres em espírito, porque o Reino de Deus é deles.
- Bem-aventurados os mansos e serenos, porque a terra será deles.
- Bem-aventurados os aflitos e ofendidos, porque serão consolados.
- Bem-aventurados os que buscam a justiça, porque a encontrarão.
- Bem-aventurados os que usam de misericórdia e perdoam, porque serão perdoados.
- Bem-aventurados os puros de coração e de intenção, porque verão a Deus.
- Bem-aventurados os pacificadores e promotores da paz, porque serão chamados filhos de Deus.
- Bem-aventurados os que sofrem perseguição por promover a justiça na terra: o Reino dos Céus será sua recompensa!

4. Teologia Moral

A ciência que estuda o comportamento humano e propõe hábitos e atitudes à luz da Palavra de Deus chama-se *Teologia Moral*.

Na Igreja Católica, tal estudo é muito importante para se determinar o grau de inocência ou culpabilidade e a existência ou não de responsabilidade de alguém diante de Deus e da comunidade. Ela ajuda o cristão a julgar seus atos diante de Deus e do próximo.

5. O Decálogo

O povo judeu recebeu de seu líder *Moisés* e sucessivas gerações milhares de regras de comportamento diante de Deus e do próximo. Mas dez delas foram acentuadas e são conhecidas como Decálogo (Êx 20,1-17). Os cristãos também as adotaram. São os *Dez Mandamentos da Lei Judaico-Cristã*.

VII. Moral Católica

6. Quais são os 10 Mandamentos?

Há duas versões na Bíblia. A mais mencionada é a seguinte: Êx 20,1-17, que se traduziria mais ou menos assim:

1. Não terás outro Deus senão eu.
2. Não farás nenhuma imagem esculpida.
3. Não usarás a palavra de Deus em vão.
4. Não deixes de santificar o sábado, dia do Senhor.
5. Honra teu pai e tua mãe.
6. Não matarás.
7. Não cometerás atos impuros e adultério.
8. Não furtarás.
9. Não darás falso testemunho.
10. Não cobiçarás os bens do próximo.

7. Há uma versão popularizada dos 10 Mandamentos

Na Bíblia não existe a palavra Decálogo. E há outras versões. Usando Dt 4,13; 5,6-21; 10,4 e Êx 20,1-17, poderíamos assim colocar os mandamentos da Lei:

1. Deus seja o primeiro e o maior objetivo de sua vida.
2. Evite tudo aquilo que o afasta de Deus.
3. Respeite o nome de Deus e não o use à toa.
4. Reserve um dia para Deus em sua semana.
5. Respeite seus pais terrenos.
6. Respeite toda a forma de vida. Não tire a vida de ninguém sem uma razão muito justa.
7. Conserve o corpo e o coração puros.
8. Não se aposse daquilo que pertence ao outro.
9. Não falte nunca com a verdade.
10. Não deseje nem possua uma pessoa já comprometida com outra.

A versão tradicional é a seguinte:

1. Amar a Deus sobre todas as coisas.
2. Não tomar seu santo nome em vão.

Nós, os católicos romanos

74

3. Guardar os domingos e festas de guarda.
4. Honrar pai e mãe.
5. Não matar.
6. Não pecar contra a castidade.
7. Não furtar.
8. Não levantar falso testemunho.
9. Não desejar a mulher do próximo.
10. Não cobiçar as coisas alheias.

Compare-a com o Pai-Nosso (Mt 6,9), prece que Jesus ensinou aos discípulos e que entre os judeus era conhecida como Hagadish.

1. Amar a Deus> *Pai Nosso, que estais nos céus*; 2. Não pronunciar seu nome em vão> *Santificado seja o vosso nome*; 3. Reservar um dia para Deus> *Venha a nós o vosso Reino*; 4. Honrar pai e mãe> *Seja feita vossa vontade assim na terra*; 5. Não matar; 6. Ser castos> *Na terra como é nos céus*; 7. Não furtar> *O pão nosso de cada dia nos dai hoje;* 8. Não caluniar nem mentir> *Perdoai-nos, perdoaremos;* 9. Não cobiçar alguém que já se deu a outra pessoa> *Não nos deixeis cair em tentação, Livrai-nos do mal;* 10. Não cobiçar os bens dos outros> *Tudo é vosso, o Reino, o poder, a glória.*

8. Cinco normas católicas
No passado, além dos 10 mandamentos da Lei Judaico-Cristã, a Igreja Católica propunha 5 normas de procedimento para o cristão que desejava participar melhor de sua comunidade. Ei-las:

1. Participar uma vez por semana da celebração eucarística ou, onde não é possível, do culto católico dominical.
2. Confessar-nos ao menos por ocasião da Quaresma, caso não tenhamos pecados graves. Se os tivermos, confessar logo.
3. Comungar ao menos na época da Páscoa do Senhor.
4. Praticar atos de penitência e de solidariedade.

VII. Moral Católica

5. Cooperar nas obras da Igreja com os bens que possuímos, para que a comunidade tenha meios de servir os mais pobres e carentes.

Hoje há outros deveres, mas isso é o mínimo que se pede para um católico. É claro que quem deseja ser fiel ao Senhor não dependerá desse mínimo que a Igreja pede. Por isso mesmo a Igreja hoje é bem mais exigente e pede muito mais! São exigências também conhecidas como *Mandamentos da Igreja*.

9. Moralidade, imoralidade e amoralidade

Da palavra *Mos*: Costume, originam-se os conceitos de:
Moralidade: comportamento humano;
Imoralidade: comportamento humano reprovável e antissocial;
Amoralidade: comportamento humano irrefletido, que faz a pessoa agir sem nenhum critério de valores.

Há pessoas que sabem o que é certo e errado; há pessoas de formação tão deturpada que não sabem o que é certo e errado. E há aquelas que sabem, mas não ligam para as consequências do que fazem, por uma opção egoísta de gozar apenas o momento.

10. Pecado existe?

Para a Igreja, a palavra *Peccare*, do latim, conspurcar, deu origem à expressão *Pecado*. Ainda conservamos a palavra *Pecha*, que quer dizer: mancha. Paulo fala em HAMARTHIA, errar o alvo. A ideia de pecado é, pois, algo que vai contra o natural ou o projeto inicial de Deus para cada ser humano. É como se tivesse uma veste branca que ele mesmo sujou.

11. Então o que é cometer um pecado?

Todas as vezes que alguém: 1 – sabendo que determinada atitude é errada, 2 – tendo liberdade de praticá-la e sem nenhuma coação a pratica, este alguém faz uma escolha que mancha nele o projeto de amor do Criador. Tal escolha se chama pecado, porque mancha o interior da pessoa.

Nós, os católicos romanos

76

12. Pecado original

A Igreja sustenta que o ser humano não nasceu escravo do pecado. A narração do pecado de Adão e Eva traz à baila uma realidade muito séria: o homem escolheu e ainda escolhe, muitas vezes, fazer algo errado, por escolher a si mesmo em vez do Criador e de sua vontade. O pecado original é, pois, essa tendência que todos temos de nos fechar em nós mesmos, desde pequenos, e de sempre escolher nosso interesse, amando *mais* a nós do que a Deus e ao próximo...

13. Então toda criança nasce em pecado?

Não. A criança é incapaz de discernir, portanto é incapaz de pecar. Mas toda criança nasce sujeita a essa escolha de sobrevivente. O que para nós tornou-se relativo, para uma igreja pode parecer essencial. Ela ainda não tem noção de valores. Por isso deve ser educada para saber conviver e partilhar seus valores com a família e com a comunidade. Nesse sentido, todos nascemos com o pecado original. Mas uma criança antes de chegar à idade da razão não comete pecado, nem é pecadora por natureza.

14. Existe pecado maior e pecado menor?

Existe. Há manchas maiores e manchas menores. Da mesma maneira que há maior ou menor responsabilidade em um ato e maior ou menor grau de participação ou culpabilidade, também há atos que prejudicam mais e atos que prejudicam menos. Uma calúnia prejudica muito mais do que uma mentirinha que não envolve a moral de outra pessoa. Por isso a Igreja considera alguns pecados *Mortais* (mancham perigosamente o interior das pessoas) e *Pecados Veniais* (há desculpas que abrandam a culpabilidade da pessoa ou o ato não prejudica tanto nem a pessoa, nem os outros).

Teólogos também acentuam, pelo grau de envolvimento psicológico e de consentimento da pessoa, que há *pecados de ato, de atitude e de opção*. O usuário de droga pode ser vítima, mas fez alguma opção. O traficante é sempre algoz e optou pelo pecado, sabendo que pode matar sua vítima. Cometer um pe-

VII. Moral Católica

77

cado contra si, um pecado contra os outros e optar por viver do pecado são três atitudes que apontam para escolhas, em geral, conscientes.

15. Quando sei que meu pecado é grande ou pequeno?

Com o tempo, a pessoa aprende a analisar seus atos e, pelo grau de malícia com que os cometeu, pela gravidade do próprio ato e de suas consequências em si e nos outros, saberá se cometeu um pecado *grave* ou *venial (desculpável, mais leve)*, se errou ou se está vivendo no pecado ou do pecado.

Cada pessoa tem uma consciência e, com a devida orientação e até mesmo com a maturidade que a vida traz, se ela for honesta, saberá admitir que tinha má intenção e se havia maior ou menor grau de egoísmo em seu ato, que visava prejudicar ou usar alguém ou a si mesma.

16. A Igreja ainda ensina que há 7 pecados capitais?

Houve tempo em que, na Igreja, se ensinava que há 7 espécies de pecado que, em geral, nunca aparecem sozinhos: geram outros. Ainda hoje ela chama atenção para o perigo de se deixar envolver por eles. Guarde a palavra *Saligip*. As letras iniciais indicam os pecados que a Igreja sugere que o cristão evite, para não adquirir tendências negativas e viciosas.

São eles: – Soberba; – Avareza; – Luxúria; – Ira; – Gula; – Inveja; – Preguiça. Mas é claro que há muito mais pecados do que estes sete... O ser humano é muito egoísta e muito limitado... Hoje, de todos os pecados, os mais difundidos na mídia e na internet são os pecados de luxúria. Nudez e sexo estão por toda a parte e tornaram-se indústria que rende bilhões de dólares, euros, rublos, ienes e reais.

17. Existe pecado sem perdão?

Em tese, sim. Se alguém chegasse ao ponto de não querer ajuda alguma de Deus e rejeitar suas luzes, se o fizesse lucidamente, estaria cometendo o único pecado sem perdão. Seria como dizer: – *Creio que Deus existe, mas não quero nada com ele.*

Nós, os católicos romanos

78

Mas como quem assim age, em geral, age ou por desequilíbrio mental e afetivo, ou por ignorância, é difícil dizer se alguém já cometeu esse pecado.

A Igreja ensina que Deus perdoa todo e qualquer pecado. Se a pessoa se arrepender e fizer esforço de não o repetir, porque quer fazer a vontade de Deus e ser pessoa boa, Deus jamais nega seu perdão. Só se existisse alguém que não quisesse perdão. Mas isso é raro. E quase sempre é fruto de perda de perspectiva. Uma pessoa em desespero ou revolta total nem sempre é responsável por seus atos. Então, não peca.

O escritor que publicou *O Anticristo*, um dos livros mais virulentos contra a fé em Deus, morreu totalmente fora de si. Chamava-se Friedrich Nietzsche. Ficou fora de si depois ou já estava fora dos eixos quando incitou seus leitores ao ódio contra Cristo?

18. Existe castigo para cada pecado?

Não imaginemos Deus como um policial pronto a levar para a cadeia qualquer sujeito que transgrida a lei. Ele é Pai e age diferente dos homens, que precisam manter suas leis, por bem ou por mal. Deus tem um jeito de Pai. Assim, o que existe é *ternura* de Deus para cada pecador.

Mas como o homem tem uma consciência, em geral cada pessoa acaba sofrendo em si mesma as consequências de seu pecado. O homem se pune muito mais do que Deus o pune. Isto porque Deus é amor, e o homem é um projeto inacabado, que, às vezes, se desvia até mesmo da felicidade, que busca desesperadamente.

19. Todo o mau hábito é um pecado?

Depende do hábito. Fumar é um mau hábito. Faz enorme mal para a saúde. Mas é preciso cuidado antes de dizer que todo aquele que fuma peca. É preciso ver a que grau de dependência ele chegou. Caluniar os outros é um mau hábito e prejudica mais do que a fumaça de um cigarro. Esse mau hábito é mais pecaminoso...

VII. Moral Católica

20. Mau hábito e vício são a mesma coisa?

Quase sempre. A repetição de um ato prejudicial gera um costume mau, que se chama *mau hábito* ou *vício*. Alguns são pecaminosos, outros são defeitos sem malícia. Por exemplo: *o vício de fumar é errado*, mas ninguém tem o direito de dizer que sua vítima é um pecador. Depende da situação. Já o vício de caluniar, mentir, ofender os outros, ter sexo sem responsabilidade matrimonial e com egoísmo pode ser e é vício prejudicial, em que há pessoas sendo usadas e machucadas em sua dignidade. Vigore sempre a máxima: *Um erro na vida não é uma vida de erros, mas pode se tornar uma vida errada, se ele se repetir.* Por isso Jesus curava e perdoava, mas recomendava – *Não tornes a pecar* (Jo 8,11; 5,14).

21. Por que algumas religiões dizem que os católicos pecam porque bebem e fumam?

São os mesmos grupos que escondem seus pecados e gostam de demostrar os dos outros. Não fumam nem bebem, mas adoram caluniar outras igrejas e generalizar. A visão de alguns cristãos é fechada e sectária. Na mesma Bíblia, há trechos que falam contra a bebida em excesso (Lv 10,9; Nm 6,3; Ef 5,18) e outros que até sugerem que se beba (Ecl 9,7; 1Tm 5,23). E Jesus bebeu vinho e transformou a água em vinho (Mt 11,18 e Jo 2,1-12). Nem por isso ele pecou ou foi visto a beber demais.

A questão está em saber beber com moderação. Mas o ideal seria simplesmente nunca fumar, porque o fumo nada traz de benefício à saúde. Já o vinho pode fazer bem (1Cor 9,4; 1Cor 10,31). O fundamental é entender que nosso corpo é um dom de Deus e que é também Templo do Espírito Santo (1Cor 6,19).

Quem compreende isso jamais se alimenta imoderadamente e jamais usa seu organismo com desrespeito, nem com tabu, nem com medo.

22. Existem bons hábitos

Falamos até agora dos maus hábitos. Mas é claro que também há bons hábitos. A repetição de muitos atos bons gera tam-

80

bém um costume bom, que mostra nossa força interior. Essa força se chama *virtude*, que se origina da palavra latina *virtus: força*.

23. Virtude humana e virtude divina
Deus colocou no homem certos valores naturais, que, se desenvolvidos, melhoram sua vida. São o que chamaríamos de talentos humanos. Alguns talentos todas as pessoas possuem em maior ou menor grau, e outros são talentos raros. Já mencionamos os carismas e já falamos da palavra *xaris*. Saber rir é um talento natural e uma virtude, que, bem desenvolvida, todas as pessoas podem usar para um fim positivo. Ser engraçado, fazer rir, saber cantar já é talento especial. Mas há certas forças e talentos que a Igreja crê serem dons especiais de Deus e que ultrapassam a natureza.

24. Virtudes teologais
A Igreja considera que há *três virtudes*, que são dons de Deus e que não estão no homem por própria constituição humana. Vêm "de cima", de alguém que pode acrescentar qualidade ao ser humano. São elas:

- *a Fé;*
- *a Esperança;*
- *a Caridade.*

25. Virtudes morais
Além das virtudes teologais (3), a Igreja menciona também 4 virtudes *morais* ou *cardeais*. Isto é, referem-se a comportamento social, que a graça de Deus torna efusivo, a ponto de beneficiar toda a comunidade: São elas:

- A *prudência* (mede as consequências de cada ato); – A *justiça* (faz o que é honesto e justo); – O *equilíbrio* (não se excede em nada do que faz); – A *fortaleza* (enfrenta as dificuldades sem covardia).

VII. Moral Católica

26. A justiça social

É do comportamento do homem, vivido à luz do natural e do sobrenatural, mas sobretudo guiado pelo exemplo e pela palavra de Jesus e de seus apóstolos, que se pode esperar um mundo mais igual, onde não haja diferenças odiosas, com privilégios excessivos para uns e sofrimentos e carências para outros. Essa justiça social é uma virtude que começa com cada indivíduo e deve ser levada a sério em nível de comunidade. Se nossa sociedade é injusta, também nós somos injustos, caso não lutemos para que a situação de injustiça mude.

27. A Igreja proíbe o sexo?

Evidentemente não. Mas condena o desrespeito à pessoa humana em todos os aspectos e, entre eles, no que tange ao uso do sexo. Tanto é pecado privar uma pessoa ao legítimo direito de usar o sexo de maneira correta, como é pecado usar o sexo de maneira irresponsável e incorreta. A Igreja não é contra o uso do sexo: é contra o mau uso dele, com a pessoa errada, sem compromisso e do jeito errado. Do jeito certo, com a pessoa certa, ela até aconselha. Por isso chama o casamento de sacramento. É coisa do céu e não apenas de instinto carnal. A Igreja vê espiritualidade no sexo! Ele é mais do que um momento de prazer. É entrega de si a quem fez por merecer.

28. Por que a Igreja não aprova o uso de contraceptivos?

Há pessoas que fazem uso da pílula e de outros contraceptivos por egoísmo. Por essa razão, pelo conceito que faz do amor e também pelos riscos que o uso de certos contraceptivos traz à mulher, a Igreja tem se pronunciado contra eles.

Alguns casos muito particulares justificam o uso de remédios que podem ser também contraceptivos, mas é preciso conhecer os motivos e as razões de seu uso. É assunto para o casal e seu orientador espiritual. O que a Igreja não aprova é o desrespeito à vida e à sexualidade humana e o prazer desligado da responsabilidade pela vida do outro. Ninguém é obrigado a ter filhos, mas o modo de não os ter não pode ir contra as normas da Igreja, que vê o ato sexual como algo maior do que dois corpos em busca de satisfação carnal.

Nós, os católicos romanos

82

29. A Igreja jamais aprovará o aborto?

Fiel ao Evangelho, mesmo se todos os povos do mundo aprovassem o aborto, a Igreja o desaprovaria, como desaprova. Nada justifica tirar de dentro de uma mulher uma vida em formação. O aborto indesejado e acidental não é pecado, mas o aborto provocado é sempre um grave atentado à vida e à lei de Deus. Nunca seremos compreendidos e elogiados por isso, mas não somos católicos para receber aplausos. A vida é mais púlpito do que passarela!

30. A Igreja é contra o divórcio?

Embora algumas igrejas cristãs defendam o divórcio como um mal necessário, a Igreja Católica continua afirmando que um matrimônio válido, contraído com liberdade, é um laço permanente. Ninguém, casado livremente na Igreja Católica e em uma união considerada válida, poderá casar outra vez, enquanto a pessoa com quem se casou a primeira vez estiver viva.

31. Mas há católicos que casaram duas vezes...

Já houve e ainda há casos em que a pessoa conseguiu provar adequadamente que seu casamento foi nulo desde o princípio, ou por falta de liberdade na hora, ou por engano de pessoa, ou, ainda, por razões que a Igreja considera suficientes para declarar inválido um casamento, que realmente nunca foi sacramento. Mas declarar a nulidade de uma união não é o mesmo que aprovar divórcio. Para a Igreja, vale a palavra de Cristo: "O que Deus uniu o homem não separe" (Mt 19,6). Se houver provas claras de que não foi um sacramento, então pode haver a chance de uma segunda união. Pode ter sido este o caso mencionado...

O rapaz, que se casou escondendo que era impotente por conta do abuso de drogas no passado, enganou a moça. Ele achou que se recuperaria. Ao separar-se, ante a confissão dele e testemunho da própria mãe, ela pôde, mais tarde, casar-se com outro, que lhe podia dar alguns dos bens inalienáveis do matrimônio: vida a dois, o prazer da entrega e filhos. A mentira invalida qualquer união.

VII. Moral Católica

32. Proibido e permitido na Igreja

A Igreja tem, portanto, uma série de proibições a seus fiéis, mas, em um todo, ela age como Jesus, que resumiu a lei em dois mandamentos positivos: "Amar a Deus sobre todas as coisas e ao próximo como a nós mesmos" (Mt 22,34-40). Isto é, a lei moral da Igreja é mais cheia de permissão do que de proibição. As pessoas dão importância maior ao que é proibido, porque é o que as incomoda, mas, se olhassem o que a Igreja aprova e abençoa, veriam que é infinitamente mais do que ela proíbe. Nossa moral não é negativa.

33. Moral é mais direção do que freio

A lei moral da Igreja não pretende frear a vida humana e sim orientá-la. Como em um veículo, o freio é importante, mas a direção é que define para onde ele vai. Um semáforo não fica sempre no vermelho. Conforme a avenida, ele fica mais tempo no verde. O freio do carro é usado de vez em quando e nas horas importantes e necessárias. Mas, na maioria do tempo, usa-se o acelerador, o câmbio e a direção. A lei da Igreja também é assim. Não existe para segurar o homem, mas para ajudá-lo a chegar são e salvo ao destino.

34. O materialismo é uma fonte de pecados

O que a Igreja pede a seus fiéis é que não caiam no imediatismo e na busca imatura de bens materiais. Essa visão da vida acaba levando ao roubo, ao lucro exagerado, ao individualismo, à chantagem, à mentira e a quase todos os pecados de injustiça contra o próximo. Por isso, o cristão que consegue ser desapegado e fugir à ganância dos bens e do dinheiro, em geral, respeita mais seu próximo. A maioria dos pecados nasce de uma visão egoísta e materialista da vida.

VIII

Os sinais de Deus entre nós

1. A Graça de Deus

São Paulo, na 1ª Carta aos Coríntios 15,10, afirma: "Pela graça de Deus sou quem sou. E sua graça não me foi em vão"... Outra vez Paulo fala da graça como *xaris: charme, algo mais que acrescenta valores à pessoa.*

O que pretendeu dizer com isso foi que Deus agiu nele e ele soube corresponder apesar de suas limitações (1Cor 15,9). O cristão que corresponde à graça de Deus torna-se um sinal da presença de Deus na História.

2. Deus continua atuando na criação

A Igreja crê que Deus continua agindo em cada criatura, que fez, e buscando levar todas as suas obras à perfeição. Por isso é que se diz que Deus é *o Alfa e o Ômega* da criação. Isto é, a primeira e a última letra do alfabeto grego. O princípio e o fim de tudo. Tudo é de Deus, tudo vai para Deus.

3. A Palavra graça

No latim, a palavra *gratia*, versão latina da palavra Xaris, quer dizer: *charme, favor, ajuda, auxílio*. Não é um pagamento: é um presente gratuito feito por amor. Mas a palavra *graça* tem também outras conotações:

- graça no andar,
- graça no falar,
- de graça,
- gracioso,
- engraçado.

Indica sempre uma qualidade acrescentada aos atos de uma pessoa. É algo que marca e qualifica alguém.

4. Graça divina

A Igreja usa essa conotação para dizer que Deus qualifica, cada vez mais, aquele que o procura.

5. Graça atual

É a presença de Deus para o momento em que a pessoa necessita de ajuda especial para se autossuperar ou para cumprir bem sua tarefa.

6. Graça habitual

É a presença permanente de Deus em cada vida e, sobretudo, naquele que se entrega a Deus e deixa-o agir em sua vida.

7. Graça santificante

É a presença de Deus que faz o homem viver de coração puro e, por isso mesmo, ser santo. É já um estado de autossuperação e de perfeição até onde a humana fraqueza pode chegar.

8. Graça libertadora

É uma expressão ultimamente muito usada na América Latina, que relembra o Deus que libertou um povo do sofrimento da

VIII. Os sinais de Deus entre nós

escravidão e do cativeiro e que liberta o homem de suas próprias limitações, ajudando-o a ser agente de sua própria História. Seria, pois, a presença do Deus que incentiva o homem a não se portar passivamente diante da História e sim de ser fazedor dessa História.

9. O justo vive da fé

São Paulo usou essa expressão. Queria com isso dizer que um homem de coração puro e sensato não se entrega ao materialismo nem ao imediatismo de crer que não precisa de Deus. Ele tem coragem até de assumir atos ousados diante da vida e da História, porque sabe que não está sozinho. Tem Deus a seu lado.

10. O que significa crer

Há uma expressão que ajuda muito a entender essa palavra: "Crer é aceitar uma verdade mesmo sem ver ou tocar, por causa da veracidade de quem a ensinou". Seria, portanto, o contrário de *primeiro ver* e *depois aceitar*. É aceitar, mesmo sem evidências, porque quem disse merece crédito.

A palavra *credere* vem da junção de duas palavras latinas Cor Dare: dar o coração.

11. Crer de maneira inteligente

A fé deve ser fiel, mas não precisa ser ingênua e cega a ponto de renunciarmos a qualquer pergunta ou procura. Deus quer que perguntemos. Jesus mesmo motiva seus discípulos a fazerem perguntas (Jo 16,5; 16,23). Isso quer dizer que não devemos aceitar tudo de qualquer maneira. Seria ingenuidade. Devemos aceitar com o sentimento, mas também com a razão. Além disso, sentir também supõe pensar. Uma fé inteligente é melhor do que uma fé sem esforço nenhum de saber melhor e entender mais.

12. O que é um sacramento?

A graça de Deus nos torna sinais vivos do Reino, como diz Paulo (Ef 3,2; 2Cor 12,9). Certos sinais externos dessa realidade interior que há em nós são chamados *Sacramentos*, isto é, *Sinais Sagrados* da ação de Deus em nós e por meio de nós.

Nós, os católicos romanos

13. Por que 7 e não mais?

Alguns católicos perguntam se Deus só se manifesta de sete maneiras, pois aprenderam que há *sete sacramentos*. Assim como pedagogicamente a Igreja fala de SETE VIRTUDES e SETE PECADOS CAPITAIS, embora sejam mais, quando a Igreja destaca essas sete maneiras de assumir a fé, não está dizendo que não haja outras. A própria Igreja é um sacramento do Reino. Jesus Cristo é o sacramento do Pai. E, assim por diante... Encontraremos muitíssimos sinais sagrados da ação de Deus no meio de seu povo. Mas a Igreja destaca sete, por razões teológicas e didáticas.

14. Quais são?
- O Batismo.
- A Confirmação (Crisma).
- A Eucaristia.
- A Penitência.
- A Unção dos enfermos.
- A Ordem.
- O Matrimônio.

Com eles não está esgotada a ação de Deus no meio de seu povo, mas, por meio deles, a vida cristã cresce para a plenitude o suficiente para que um cristão viva em sintonia com Deus e com seus irmãos.

15. O que é e o que significa o Batismo?

A palavra *baptitsomai* do Grego quer dizer *lavar*, purificar. Pelo gesto de "lavar", "mergulhar na água", "derramar água na fronte", a Igreja Cristã crê que uma realidade nova acontece na pessoa que adere a Jesus Cristo: passa a fazer parte daqueles que, com Jesus, se sentem responsáveis pela construção de um mundo novo, segundo a vontade do Pai e Criador; HOMENS NOVOS, nascidos da água e do Espírito Santo, isto é, puros para o mundo e para Deus.

Onde? Nossa Igreja usa de uma pia batismal. Outras batizam em rios e piscinas. Não podendo ir ao Jordão, onde Jesus foi batizado, recorremos ao simbolismo.

VIII. Os sinais de Deus entre nós

Como? Tem de mergulhar a pessoa por inteiro? Nossa Igreja joga água na cabeça. Outras igrejas mergulham por inteiro. Pedro primeiro hesitou, depois quis que Jesus lhe lavasse por inteiro, e Jesus disse que bastava o gesto de lavar os pés. Não tem sentido a polêmica de que um batismo é melhor e mais completo do que o outro, porque um só lavou a cabeça e outro lavou a pessoa inteira em água corrente. Funciona como marketing de uma igreja que se pretende mais fiel, mas não como teologia. Jesus também não se batizou em uma piscina, e eles batizam...

16. É válido batizar crianças?
Algumas religiões preferem não o fazer, afirmando que é um gesto maduro de aceitação de Cristo. Mas a Igreja Católica o faz, lembrando que as crianças dos judeus eram consagradas a Deus, sobretudo os primogênitos, pela circuncisão. Além disso, Paulo afirma que batizou *toda a casa de Stéfanas* (1Cor 1,16). Toda a casa inclui as crianças, ou não?... Jesus, que não precisava ser batizado, foi circuncidado como criança, segundo o rito judaico, e depois batizado por João como adulto. Ora, se o menino puro e santo, que era Jesus, aceita o rito, que no judaísmo equivalia ao batismo dos cristãos, por que razão negar às crianças esse sinal de entrega a Deus e inserção no Reino de Cristo?

17. Quem pode batizar?
Em geral, quem batiza é o sacerdote, mas diáconos também batizam e, em caso de emergência, qualquer cristão batizado pode fazê-lo e até mesmo qualquer pessoa bem-intencionada, mesmo não sendo cristã, mas que deseje fazer o que a Igreja faz.

18. Nesse caso como faria?
Se perceber que a criança não resistirá até que venha o sacerdote ou diácono e, se notar o mesmo com relação a adultos enfermos que pedem o batismo e estão em agonia, use a fórmula mais simples:

Nós, os católicos romanos

90

a) tome um copo de água (benta ou não);
b) derrame-o em forma de cruz sobre a cabeça do batizando, enquanto pronuncia a fórmula:
c) (Nome da pessoa), eu te batizo em nome do Pai †, do Filho †, e do Espírito Santo †.

Se a pessoa sobreviver, avise o sacerdote responsável e ele registrará o fato, completando o rito, caso seja necessário e possível. Mas o batismo em casa é só para casos de emergência. Em geral deve ser feito na Igreja e em comunidade.

19. O papel dos padrinhos e das madrinhas

Ao contrário do que muitos ainda pensam, os padrinhos de batismo não são escolhidos apenas para "substituir" os pais "depois" ou "em caso de faltarem". A palavra *padrinho* ou *madrinha* significa paizinho, mãezinha. A missão deles é ajudar os pais a educar o filho na fé. Não devem ser escolhidos pelo dinheiro, pela posição social ou por razões mundanas, e, sim, pelo conteúdo moral e pelo exemplo de vida cristã, mesmo que sejam pobres e sem recursos. Pela escolha correta dos padrinhos já se tem uma noção da importância que os pais dão à formação cristã dos filhos...

20. Compadres e comadres

As palavras *com-padre* e *co-madre* significam exatamente o que foi dito acima: alguém que exerce ou co-exerce funções de *pai* e de *mãe*.

21. O curso de Batismo

A Igreja, de uns tempos para cá, tem exigido de todos os cristãos e em quase todas as paróquias do Brasil um *curso de Batismo*. Nele os fiéis aprenderão muito mais do que em livros a importância de ser batizado hoje e o que significa ser católico apostólico romano. Todos precisamos desse curso, mesmo que já saibamos o suficiente.

VIII. Os sinais de Deus entre nós

22. O Sacramento da Confirmação

"*Eu confirmo meu batismo*"; "*Nós, Igreja, confirmamos que o aceitamos entre os batizados em Cristo e membros de nossa família*". Poderíamos resumir o sentido da Confirmação com essas palavras. Aquele que foi batizado confirma sua adesão, desta vez, ainda mais consciente e madura a Jesus Cristo e à Igreja. E a Igreja aceita essa confirmação. É como se você dissesse: "*Gostei de haver sido batizado católico. Quero confirmar aquele gesto, agora pessoalmente*". A Igreja confirma o batizado agora crismando, também. Por isso ele recebe o óleo da unção. A palavra Crisma vem do grego e quer dizer o ato de ungir. Dela também vem a palavra Cristo, o ungido. E nós cristãos somos ungidos, seguidores conscientes do Ungido do Pai.

23. A Crisma

O sinal sagrado da *Confirmação* se faz por uma cerimônia, em geral presidida pelo Bispo diocesano, na qual ele unge com óleo a fronte do cristão que confirma seu batismo e lhe dá, em um gesto paterno de acolhida, um abraço ou outro gesto de paz. Esse óleo de unção (*Crisma*) é chamado de Óleo do Crisma. A cerimônia é a Crisma. Pode-se, portanto, usar tanto a expressão A *Confirmação* como O ou A *Crisma*. Trata-se do mesmo sacramento.

24. A questão da idade

Não há idade preestabelecida, mas a Igreja está preferindo ministrá-la dos 15 anos em diante.

Trata-se de um sacramento que supõe certa maturidade e um poder de decisão pessoal, já que seu carisma é o de colocar o cristão a serviço da Igreja como apóstolo em seu meio.

25. O curso de Crisma

Muitas dioceses instituíram um curso de seis meses ou mais para os jovens ou adultos que desejam confirmar sua adesão a Cristo. O motivo é muito justo: devem conhecer bem a Igreja da qual desejam fazer parte. As aulas dão um conhecimento geral da doutrina católica e da situação em que esta pessoa deverá testemunhar sua fé como católico.

Nós, os católicos romanos

92

26. A Eucaristia: Corpo e Sangue de Jesus

A Palavra *Eu-Caristia* tem origem grega e significa: O *Dom*; O *Dom Especial*. Voltemos ao termo *xaris* que é forte entre os cristãos, especialmente entre nós católicos. Refere-se à fé dos cristãos católicos de que, por meio da aparência de pão e de vinho, Jesus Cristo se torna presença viva, de corpo e sangue, no meio dos fiéis. Se alguém pode nos qualificar, acrescentar dons, este alguém é Jesus!

27. O milagre da transubstanciação

Os católicos sustentam sua fé no milagre da Eucaristia, por meio da qual o que parece vinho e tem gosto de vinho, após a *Consagração*, é o sangue de Jesus Cristo. E o que parece pão de trigo ou parcela de pão de trigo, com gosto de farinha de trigo, é o corpo de Jesus Cristo. Ao recebê-los em alimento, creem estar comungando da vida de Jesus, corpo, sangue, divindade e humanidade. A Palavra transubstanciar significa atravessar a substância e transformá-la. Não é transmutação, porque elas mantêm sabor e qualidade de pão e de vinho, mas para nossa fé trata-se do Cristo presente naquelas substâncias.

Os discípulos também não conseguiam entender que, depois da ressurreição, Jesus atravessava portas e aparecia entre eles. Para mostrar que não era um fantasma e que agora estava glorificado e superara a matéria, que um dia ele assumira, pediu peixe e comeu e deixou-se tocar (Lc 24,35-48). Não se trata do sangue derramado na cruz, porque é sacrifício incruento, mas é sangue do Cristo glorificado e ressuscitado. Contudo, é real como ele era depois de atravessar portas, andar sobre as águas, pedir comida e deixar-se tocar. É dimensão que não entendemos. Mas é realidade.

28. O sentido social da Eucaristia

Toda a celebração da Eucaristia é uma escola de partilha. Do começo ao fim, procede-se à partilha de sentimentos, de palavras e de gestos, destinados a levar o cristão a entender que, naquela mesa, se reaprende, a cada nova celebração, o dever de partilhar sua vida, seu corpo e seu sangue pela salvação de seu povo, como Jesus o fez.

VIII. Os sinais de Deus entre nós

93

29. Escola de igualdade

A celebração da Eucaristia no começo era feita dentro de uma refeição com alimentos comuns. Tal refeição fraterna, em que cada qual trazia suas oferendas e punha tudo em comum na grande mesa, chamava-se *ágape*. Com o tempo houve abusos. Antes que acontecesse a parte da *Ação de Graças – Eucaristia* –, alguns comiam e bebiam como se fosse apenas um banquete social e uma festa profana. São Paulo condena isso em sua Carta aos Cristãos de Corinto (1Cor 11,17-34). A partir de determinada época só se celebrou então a parte da Eucaristia. Acabaram as outras comidas e ficou só o pão e o vinho em pequena quantidade e em doses e tamanhos iguais. Na Eucaristia, qualquer pessoa, independentemente de posição social ou importância política, é tratada da mesma forma. Diante de Deus e em Jesus Cristo somos todos iguais. Por isso a missa é uma escola de igualdade.

30. Missa

Dá-se o nome de *Missa* à Eucaristia, porque ela é entendida como *uma missão* do cristão: celebrar a vida de Jesus e partilhar esta vida no dia a dia.

31. A Presença de Jesus na Missa e no Sacrário

Algumas religiões admitem que Jesus está presente durante a celebração da *Ceia* (chamam a Eucaristia de *Ceia do Senhor*). Nós também chamamos a Eucaristia de vários nomes como *Ceia do Senhor, Mesa do Senhor, Mesa do Pão e da Palavra, Banquete Eucarístico* e outros. Mas, diferentemente dos católicos, eles sustentam que Jesus só está presente simbolicamente ou só durante a Ceia. Os católicos acreditam que Jesus permanece presente nas espécies que não foram consumidas. Elas são guardadas no sacrário para o cristão que, fora da Celebração, queira partilhar do corpo e do sangue de Cristo, ou para outras celebrações. É um costume da Igreja Católica, datado de muitos séculos.

Nós, os católicos romanos

94

32. Condições para participar da Ceia do Senhor

A Igreja pede para o católico que esteja de coração puro se pretende receber a Eucaristia. E, caso sinta que está em pecado, deve se confessar e se purificar antes. Se for pecado grave, melhor fazer uma confissão. Se for pecado considerado venial, faça uso da celebração penitencial da própria missa para se preparar. Mas, se estiver em dúvida, aconselhe-se com um sacerdote.

33. É obrigatório ir à missa todo domingo? É pecado não ir?

A questão não é tão simples. É um desejo e mandamento da Igreja que todo católico *participe* da celebração eucarística no dia do Senhor. Mas, se por razões justificáveis não puder fazê-lo naquele dia, escolha outro. O que se pretende é que todo cristão e católico reserve um dia para celebrar a vida e a ressurreição de Jesus Cristo por meio da Eucaristia. E este dia é o domingo.

34. O sentido do domingo

No Antigo Testamento, entre os hebreus o dia do Senhor chamava-se *shabat* (*sábado*). A palavra quer dizer *pausa, interrupção*. Os cristãos, com exceção de alguns que preferem aderir estritamente à letra do Antigo Testamento (sabatistas), comemoram o *Dia da Ressurreição* como o *Dia do Senhor*. Como para eles (e para nós também) *Jesus é o Senhor*, comemoramos o dia seguinte ao do Sábado como o dia de Jesus, o Senhor.

Foi nesse dia que Jesus venceu a morte. Por isso, para nós, o *domingo* é mais importante que o *sábado*. *Shabat* quer dizer: *pausa, descanso*. *Domingo* vem de *dies dominica*, do latim, e quer dizer *dia do Senhor*. Foi o dia da vitória sobre a morte.

35. O Sacramento da Penitência

A Igreja considera o arrependimento do homem e sua reconciliação com Deus e com a comunidade um sacramento, isto é, sinal de comunhão do Deus que perdoa ao homem que se arrepende e deseja mudar de vida.

VIII. Os sinais de Deus entre nós

95

36. *Confissão ainda existe?*

Sim, existe. Embora muitos não se confessem mais, ou esperem os momentos de confissão comunitária, a confissão individual existe e é recomendada pela Igreja. Nenhum católico está dispensado dela.

37. *A noção de perdão*

Para nós, muitas vezes, perdoar é esquecer a ofensa. Para Deus e para a Igreja é muito mais do que isso. É reconciliar, é reeducar, é reintegrar a pessoa no caminho certo e na vida da comunidade. O perdão de Deus é pedagógico. Tem um "não tornes a pecar" (Jo 5,14).

38. *A noção de Penitência*

A palavra *poenitere* em latim tem o sentido de: *assumir a culpa*. É, portanto, um gesto de quem se sente perdoado e quer reparar o mal que fez. O penitente é, portanto, uma pessoa responsável, que entende que errou e agora quer fazer alguma coisa positiva que corrija seu erro. Não se trata, pois, apenas de pedir desculpas em palavras. Trata-se de assumir gestos concretos de quem prova que mudou de vida e agora faz o que julga melhor pelo próximo e por seu Criador. É um ato de amor e não de medo ou de remorso.

39. *Basta confessar-se apenas para Deus?*

Quem perdoa o pecado é Deus. Mas quem sofre as consequências do pecado é a comunidade. Não basta, pois, falar com Deus. É preciso um reencontro com a comunidade por meio de seu representante. Na Igreja, a confissão significa exatamente este gesto: o de se reconhecer pecador e necessitado da ajuda de um irmão na fé. Não basta, pois, confessar apenas para Deus. Se o problema é a falta de diálogo com algum padre em especial, lembre-se o fiel de que não existe apenas um padre no mundo. E, se o problema são os padres, então o fiel não entendeu o que é ser cristão.

Nós, os católicos romanos

40. *Somos santos e pecadores*

O Sacramento da Penitência decorre da constatação da Igreja de que somos todos santos por chamado e vocação, mas pecadores por circunstâncias de nossa fraqueza e limitação humana. Por isso o sinal externo do que é realidade interna para todos é necessário. Quem recorre ao sacramento da confissão está admitindo que é limitado, tem boa vontade, mas precisa da ajuda de um irmão na fé e da caridade da Igreja em cujo meio vive.

41. *Assumir a responsabilidade pessoal*

O sacramento da confissão é o ato de assumir a responsabilidade pessoal pelo pecado cometido. Pequei contra o céu e contra ti (Lc 15,18). Quem se confessa está dizendo implicitamente: "Reconheço que errei, confesso e torno conhecido meu erro, assumo a responsabilidade por meu erro e estou disposto a me corrigir para merecer o nome de discípulo de Jesus". É, pois, um ato profundamente religioso e um exercício profundo de maturidade cristã. Longe de trazer complexo de culpa, a confissão liberta dele, exatamente porque, como no salmo 51(50), o penitente sabe que Deus perdoa o filho contrito e arrependido e, como em Pr 11,6, sabe que a justiça liberta.

42. *Assumir a responsabilidade social*

Não existem pecados isolados. Podem até ser cometidos longe de tudo e de todos, mas têm uma consequência no indivíduo que acaba repercutindo no corpo místico. É o que diz São Paulo sobre o membro doente do corpo, que acaba prejudicando o desempenho de todos os demais (1Cor 12,26). É também como o raio de uma roda de bicicleta, que porventura haja saído do centro. Seu mau desempenho pode prejudicar o desempenho de toda a roda.

Assim é conosco. Se não ficamos firmes no Centro, que é Cristo, se nos desviamos, prejudicamos os demais. Por isso, purificar-se pela confissão é também assumir a responsabilidade social. Ninguém é Robinson Crusoé perdido numa ilha... Todos estamos ligados a todos. Por isso, em matéria de comportamen-

VIII. Os sinais de Deus entre nós

to cristão, ninguém pode usar aquela expressão egoísta: "O problema é meu. Ninguém tem nada com isso". Se somos cristãos, o mundo tem muito a ver com o que fazemos de bom ou de ruim.

Não foi Jesus quem disse que o menor gesto, o menor copo de água que dermos ou não dermos a um pobre, tem repercussão em Deus? (Mt 10,42).

43. O papel do padre na confissão

Muita gente tem uma noção errônea do padre no tocante à confissão. Acham que ele está ali apenas para ouvir o pecado, julgar e dar uma penitência depois de um conselho. Mais do que juiz, o padre é amigo e irmão, que explica se o ato é pecado ou não, sugere atitudes, analisa as causas daquele comportamento e propõe possíveis soluções, para que o fiel melhore sua vida espiritual e social. Ele é a pessoa colocada por Deus e pela Comunidade de fé, a Igreja, para reconciliar o fiel que se reconhece pecador com toda a comunidade, com a Igreja, consigo mesmo e com o próprio Deus.

44. O padre perdoa pecados?

Repitamos: Quem perdoa o pecado é Deus. Só Deus tem poder de perdoar pecados. E Ele o faz pelos méritos de seu bem-amado Filho Jesus.

O que a Igreja faz e o que o padre faz em nome da Igreja é reconciliar o fiel que, arrependido e perdoado por Deus, busca a integração plena na comunidade dos reconciliados em Jesus. Quando, pois, um fiel diz que não se confessa com o padre, porque o padre não tem poder de perdoar e que este poder só Deus o possui, está usando argumento certo, mas assumindo atitude errada. É certo que o padre não é Deus e não pode perdoar pecados no próprio nome, porém o padre traz a orientação, a religação e a reconciliação com a comunidade.

45. Por que não basta confessar-se apenas com Deus?

Porque o próprio Jesus, em duas ou três passagens do Evangelho, fala da atitude do homem, que tinha uma oferta a

Nós, os católicos romanos

98

apresentar a Deus, que devia deixar a oferta e primeiro ir reconciliar-se com o irmão com quem não estava bem (Mt 5,23). Jesus também diz a Pedro e aos demais que dava a eles as chaves do Reino dos Céus e o que eles ligassem ou desligassem na terra estaria ligado ou desligado nos céus (Mt 16,19ss.). E diz ainda: "Recebei o Espírito Santo. A quem perdoardes os pecados, os pecados serão perdoados. A quem retiverdes o pecado, o pecado será retido" (Jo 20,23).

Como ninguém vive isolado em um planeta perdido, mas todos vivemos ligados aos outros, a confissão é o ato de reintegração por meio de um dos irmãos na fé, o padre, na comunidade de fé e em Cristo, cabeça dessa comunidade de fé.

46. Como é que a gente se confessa?

Não é necessário usar de fórmulas fixas. O importante é estar arrependido, com vontade e propósito de não repetir mais o pecado cometido e disposto a assumir a responsabilidade pelo seu pecado. O sacerdote orientará a maneira de abrir o coração. Mas muitos fiéis assim se expressam:

> Padre, já me arrependi de meu pecado. Mas vim, aqui, contá-lo ao senhor para me reconciliar com a Igreja e receber orientação para minha vida cristã. Assim sendo, peço que me ouça e me oriente. Meu pecado (meus pecados) é o seguinte (são os seguintes...).

E ao terminar:

> Era o que me pesava na consciência. Sei que fui perdoado por Deus, porque me arrependi e tenho intenção de não repetir mais isso, porém estou disposto a assumir o gesto que o senhor julgar necessário para que eu me reeduque para a fé em Jesus.

A maneira de falar varia muito. Mas o essencial é não esquecer que são necessários arrependimento e abertura honesta de coração para que haja de fato uma reconciliação com Cristo e com o Pai e, neles, com a comunidade de fé!

VIII. Os sinais de Deus entre nós

47. O Sacramento da Ordem

A Igreja inclui entre os sinais da presença de Deus entre os homens o Sacramento da *Ordem*. Ela entende que Deus se manifesta aos homens por meio de pessoas como nós, revestidas de função, de serviço e de autoridade espiritual, para falar em nome de Cristo e de toda a comunidade.

48. Todos os cristãos são sacerdotes

Em latim **dos** é dote, herança. **Sacer** é sagrado. A fé é uma herança sagrada e todos são chamados a administrá-la. A Igreja crê no sacerdócio do povo de Deus. Por isso mesmo, ela declara que somos um povo de sacerdotes: pessoas que cuidam do sagrado. Todos nós temos a missão de servir e de liderar espiritualmente as pessoas com quem vivemos. Não é só o padre ordenado que deve falar de Deus, orar pelos outros, abençoar e divulgar a Palavra. Pelo batismo todos os cristãos são "sagrados", "consagrados" e, por isso mesmo, vivem um sacerdócio. Os padres, porém, são chamados ao sacerdócio ministerial. Têm funções específicas, próprias de quem vive 24 horas por dia para essa missão. Não têm os outros cuidados que um pai de família precisa viver. Mas todos os batizados devem se ocupar do **sacer-dos:** *HERANÇA SAGRADA.*

49. Existe, porém, um sacerdócio ministerial?

Na Igreja, exatamente para que se firme e consolide a vocação sacerdotal de todo o povo, há cristãos consagrados de maneira específica para o serviço dos irmãos, a fim de os liderar em Jesus Cristo no culto, na administração dos sacramentos e nos cuidados da Igreja.

50. Ministros, Sacerdotes, Padres, Pastores

Damos vários títulos aos cristãos ordenados de maneira especial para cuidar do povo de Deus. A palavra *ministrar* quer dizer *servir*. Por isso os chamamos de ministros. Às vezes os chamamos de sacerdotes, porque sua missão é *sagrada*, de *sacer*: sagrado. Também os chamamos *padres*, da palavra latina *pater*:

Nós, os católicos romanos

pai, pois são como pais espirituais para o povo. E há quem os chame de *pastores*, porque Jesus pediu a Pedro que "apascentasse" suas ovelhas e porque imitam Jesus, que se proclamou *O Bom Pastor*.

51. O Papa é chamado de Sumo Pontífice?

A Igreja crê que Jesus deu a Pedro uma missão especial no grupo dos Doze (Mt 16,18ss.). A liderança do grupo coube a ele. Foi, portanto, o primeiro líder de todos os bispos. A palavra *papa* vem do grego *papas* e quer dizer *papai*. É o nome carinhoso que damos ao cristão a quem compete liderar a Igreja em Jesus e na unidade. Também o chamamos *Sumo Pontífice*, porque a palavra *pontifex* quer dizer: fazedor de pontes. Para nós, o Papa é o homem que cuida da unidade da Igreja.

52. O Bispo é chamado de Pontífice?

Alguns sacerdotes recebem na Igreja o cuidado de determinada região ou comunidade de fé e devem liderar essa parte escolhida do povo de Deus. A Palavra *Dio-Cese* quer dizer: porção guardada para Deus. O bispo deve cuidar dessa parte da Igreja. A Palavra *Episcopos* vem do grego e quer dizer: *Guardião, Protetor, Tutor. Epi* é palavra que traduz liderança, destaque. Também é chamado de Pontífice, porque deve ser aquele que leva a Igreja local à unidade.

53. O Presbítero, Sacerdote, Padre, Vigário

A palavra *presbítero* quer dizer em grego: *velho, ancião*. Supostamente porque os idosos são mais experientes e o sacerdote deve ser um homem mais experiente na fé para liderar seus irmãos, dá-se ao padre este nome. Já a palavra *padre*, segundo o que foi dito, quer dizer *pai*, que é também a missão do cristão a quem é dada a liderança de uma comunidade de fé chamada paróquia. Às vezes o padre não tem paróquia, mas sua missão é semelhante à do vigário. A palavra *vigário* quer dizer *representante*: de Cristo e do bispo na comunidade a que preside.

VIII. Os sinais de Deus entre nós

54. O Diácono

Os apóstolos, logo no início, sentiram que precisavam de companheiros de trabalho para funções especiais que os liberassem para poderem pregar a palavra de Deus. Estes outros cuidados ficariam com esses novos companheiros (At 6,1-7). Na Igreja, o diácono é, pois, o companheiro auxiliar do padre nas funções de culto e em vários ministérios ou serviços da Igreja.

55. O que é a Unção dos Enfermos?

Quando um cristão adoece ou corre risco de morte, existe o costume de, além de recorrer aos cuidados médicos, recorrer também ao conforto espiritual de um sacramento. Isso já era proposto no tempo dos apóstolos (Tg 5,14-16). Nós cremos que a oração também cura. E, se não cura o corpo, dispõe a vontade do enfermo para assumir sua enfermidade em Cristo Jesus que deu a vida por nós.

56. A Unção dos Enfermos é só para quem está morrendo?

A Igreja não pensa assim. Uma pessoa idosa também pode pedir o conforto desse sacramento. E um enfermo que não corre risco algum de morte pode também pedir este sacramento, pois ele é uma forma de consagrar este momento difícil a Deus e de assumir a cruz da enfermidade com fé e maturidade cristã.

57. Quando a família deve chamar o padre?

Alguns cristãos aprenderam errado e têm o hábito de chamar o sacerdote só na hora da morte de seus parentes. Felizmente este hábito está mudando na Igreja. Agora os católicos bem informados chamam o padre enquanto o doente pode entender e não chamam somente em caso de morte ou risco de morrer. A Unção dos Enfermos não é um sacramento de moribundos e, sim, de pessoas enfermas necessitando de paz e coragem para assumir o momento difícil pelo qual passam.

58. O Matrimônio é um sinal grande na Igreja?

São Paulo dizia que o amor de um homem e uma mulher casados é tão bonito como é o amor de Cristo pela Igreja. Por

Nós, os católicos romanos

102

isso dizia que este sinal é grande! Ele via grande pureza no casamento cristão.
Sabia das dificuldades do casamento e ele mesmo escolhera não se casar, mas via o matrimônio como algo íntimo e grandioso que lembrava a entrega de Cristo pela humanidade (Ef 5,32).

59. No Matrimônio, quem são os ministros?

O padre é apenas testemunha em nome da Igreja. No casamento, os ministros são os próprios noivos que se dão o Sacramento do Matrimônio.

60. A Igreja aceita o divórcio?

Não. Não aceita. Ela se fundamenta no texto de Mt 19,6, em que Jesus deixa claro que não compete ao homem desfazer uma união jurada diante do altar. Por isso mesmo é preciso muita seriedade na preparação de um matrimônio. A Igreja não torna fácil para ninguém a dissolução de um matrimônio. Não foi jurado na mesa de um juiz e, sim, diante de um sacrário.

61. Mas há casamentos que ela declara nulos?

Isso é verdade. A Igreja *declara* que não houve casamento entre duas pessoas, quando existem provas suficientes de que os dois ou um dos dois não tinham as condições necessárias para um casamento ser sinal de amor e da presença de Deus naquela nova família. Há pessoas incapazes de uma vida a dois.

62. Alguns exemplos de casamento inválido

Se, por exemplo, os dois não sabiam que eram irmãos e se casaram. Se os laços de sangue os fazem parentes em primeiro grau. Se um dos dois é mentalmente incapaz de viver em família. Se um dos dois mentiu em assunto fundamental, como a própria identidade. Se um dos dois já foi casado antes e a pessoa com quem casara está viva. Se ele é impotente e não consegue realizar o ato sexual desde o começo do casamento. Há outros casos, mas isso se aprende no curso de preparação ao matrimônio.

VIII. Os sinais de Deus entre nós

103

63. O que é um casamento misto ou ecumênico?
A Igreja admite que um católico se case com pessoa de outra religião não cristã ou de religião cristã não católica, mas as condições são exigentes. Embora respeite a consciência do cônjuge de outra religião, não o forçando a se tornar católico, exige que a cerimônia seja feita no rito católico para ambos. Mas isso se resolve melhor em diálogo com o pároco e o bispo, se o caso o exigir.

64. Os cursos de preparação ao Matrimônio
A Igreja explica todos os detalhes mais importantes desse sinal de amor, que é o Sacramento do Matrimônio, nos cursos que há em todo o país. São os cursos de noivos ou Cursos de Preparação para Matrimônio. Motive seus filhos, parentes ou amigos a participarem desses cursos, que, além de dar cultura, alertam para muita coisa que se julga saber e não se sabe sobre o casamento.

65. O sacerdócio da família
A Igreja diz, no Documento *Apostolicam Actuositatem* e no número 602 da Declaração de Puebla, que a família é de importância fundamental na Igreja e no Mundo. Trata-se, portanto, de um *Sacerdócio dos Leigos*. Quem se casa em Jesus Cristo e vive segundo a doutrina cristã sobre o amor e a família exerce uma função de sacerdócio para com os filhos e para com quem vier a depender dessa família. Além disso, o sacerdócio de marido e mulher tem uma dimensão comunitária. Não é só o padre que tem um sacerdócio a exercer. A família também tem sua missão sagrada. Sacerdócio quer dizer exatamente isto: alguém que cuida do sagrado, alguém reservado para as coisas sagradas e santas.

66. Há pessoas que se casam duas vezes na Igreja Católica?
Se mentiram, pecaram. Mas é possível em alguns casos que um católico se case duas vezes: se a outra esposa ou o outro esposo já morreu ou se o primeiro casamento foi declarado sem validade.

Nós, os católicos romanos

104

67. *A Igreja obriga um casal a viver junto?*

Não. Se de tal maneira é insustentável a vida a dois, depois de aconselhamento com pessoas competentes na Igreja, ela permite separação e desquite para os fins da lei civil, mas não permite um segundo casamento para nenhum dos dois. Para os casais em segunda união, cujo casamento não pode ser oficializado, a Igreja oferece a Pastoral da Segunda União, vale dizer: importa-se com os que vivem com outra pessoa com quem não poderão se casar. Eles não deixam de ser católicos, embora não possam participar de todos os sacramentos. O mesmo acontece com o sacerdote católico que deixou o celibato para viver com alguém em situação de conúbio.

68. *A Família, Igreja Doméstica*

No Documento do Concílio Vaticano II, a Igreja, ao falar da família, afirma que ela é a *Igreja Doméstica*. Com isso quer dizer que o núcleo familiar é uma pequena reunião de pessoas chamadas por Deus. *Ek-Kalein* quer dizer chamar. A família é chamada por Deus a ser em pequena escala o que a Igreja Católica é em grande escala no mundo.

VIII. Os sinais de Deus entre nós

Sereis minhas testemunhas

1. Santos são testemunhas

A Igreja venera os que Jesus santificou e que aceitaram santificar-se em Jesus. Eles provam que o Evangelho funciona. São testemunhas de que Jesus aperfeiçoa quem o segue. Não são cristãos perfeitos porque só Deus é perfeito, mas são pessoas melhores do que o comum das pessoas. A caridade os qualificou. A partir da entrega a Cristo, erraram e pecaram menos do que a maioria dos humanos. Servem de modelo, por isso adoramos quem os santificou e veneramos os que se deixaram santificar.

A palavra "santo" vem da raiz **sancire**, sancionar, selar, aprovar. Os santos passaram no teste de qualidade. Santo é toda pessoa que está pura de coração e sem pecado. Santo é também o nome que se dá aos batizados em Jesus que buscam viver de acordo com seus ensinamentos (Ef 1,1; Hb 3,1).

Mas, de maneira especial, santo é quem foi colocado como modelo de vida a ser imitado, porque chegou mais perto do ideal de santidade, que foi Jesus de Nazaré, o Filho de Deus. A Igreja tem um

106

grande carinho pelos cristãos que conseguiram em sua vida provar que é possível viver o Evangelho de Jesus e atingir a perfeição, até onde o homem pode ser perfeito. É por isso que a Igreja venera os santos e, como crê que estão vivos e salvos no céu, ora com eles e pede sua intercessão, porque de Jesus eles sabem mais do que os santos da terra. Oração de padre, pastor, aiatolá, imã ou rabino ajuda, mas nós cremos que a oração de quem já está no céu ajuda mais.

2. Nós veneramos e não adoramos os Santos

Alguns grupos não católicos nos acusam de *adorarmos* os santos e as imagens deles. Dizem que somos idólatras. Mas estão enganados ou agem de má-fé para conquistar adeptos. Na verdade, nós só adoramos a Deus, porque só Deus é digno de todo o louvor. Aos santos nós respeitamos, veneramos e tratamos como irmãos que estão mais próximos de Deus, porque chegaram a seu destino, enquanto nós ainda caminhamos para a grande verdade. Venerar é uma coisa, adorar é outra.

3. O culto de latria

A palavra *latria* significa culto de *adoração* a Deus como o ser Todo-Poderoso. Supõe submissão total a Ele. Por isso quem crê em outro ser igual ou superior a Deus é um idólatra. Coloca coisas ou pessoas no lugar dele. Adorar o sol, por exemplo, é uma idolatria. Crer que o dinheiro pode tudo neste mundo é uma idolatria. Colocar o partido acima da fé é idolatria (Doc. Puebla: 491-500).

4. O culto de Dulia

A palavra DULIA vem do grego (*doulos: escravo*) e quer dizer homenagem prestada ao servidor de um grande homem. No caso, o culto aos santos é a homenagem que prestamos a homens e mulheres que serviram bem a Deus, começando por Nossa Senhora, a mãe de Jesus, que, depois de seu Filho, foi quem mais se aproximou do ideal de entrega à vontade de Deus. Por isso o culto aos santos é chamado de *Culto de Dulia* e a Nossa Senhora de *Hiperdulia*. Chamamo-la de senhora ou rainha por causa do filho que ela gerou. Não é correto chamar Jesus

IX. Sereis minhas testemunhas

107

de *Filho da Rainha*, porque Maria não tem o poder no Reino dos Céus, mas podemos chamar Maria de *Mãe do Rei* por razões óbvias. Ele tem o poder. O uso correto das palavras e dos símbolos ajuda a entender melhor a doutrina católica.

5. É verdade que a Bíblia proíbe fazer imagens?
Sim. É verdade. A Bíblia proíbe fazer imagens que levem as pessoas a ter uma ideia errada de Deus ou a substituí-lo por uma criatura. Eis algumas passagens que podemos encontrar na Bíblia (Lv 26,1; Êx 20,4; Dt 7,25; Sl 97,7). Mas os que mostram apenas as proibições não estão sendo honestos. Deveriam mostrar que a Bíblia também permite e até recomenda que se usem imagens. Alguns pregadores omitem propositadamente essas passagens.

6. A Bíblia também manda fazer imagens
Para os que acusam os católicos de ter imagens de Cristo, de Maria e dos Santos, é sempre bom mostrar outras passagens, em que a Bíblia não só permite como até aconselha que se façam imagens. Por exemplo, manda construir a Arca da Aliança e pôr nela dois querubins de ouro maciço... (Êx 25,18; 26,1). E Moisés levanta a imagem de uma serpente no deserto. No caso não era para afastar, mas para aproximar de Deus (Nm 21,8-10). Se o uso é positivo, é permitido. Se é negativo, é proibido. Quando, mais tarde, alguns começaram a adorar aquela serpente sob o nome de Neushtan, o piedoso rei Josias mandou destruí-la. Tinham desviado o propósito daquela escultura (2Rs 18,4).
Por isso nós católicos não achamos errado ter imagens em casa. O importante é não atribuir às imagens poderes que elas não possuem. Não existe estátua milagrosa. O que existe é fé do povo em determinada manifestação, mas nenhum objeto tem poder milagroso, nem a estátua de Nossa Senhora Aparecida, nem a do Senhor do Bonfim. Imagem nenhuma é milagrosa. Apenas ajuda a orar.

7. É errado beijar imagens e se benzer diante delas?
Imagem é como faca ou fósforo. E, se soubermos usar direito, podemos ter em casa. Se usarmos para ferir pessoas ou incendiar casas, tornamo-nos assassinos ou incendiários. Mas facas e fósforos são coisas boas. Imagens também.

Nós, os católicos romanos

108

É desaconselhável tratar imagens como se fossem instrumentos mágicos. A Igreja não condena quem olha para uma imagem quando ora, mas avisa que não se deve esperar daquele pedaço de gesso ou madeira algum milagre, e, sim, da pessoa que ele representa. Não é, pois, aconselhável pôr a mão em imagens, beijá-las ou tocá-las, esperando milagre com isso. O milagre só Deus faz e, se acontece, não é pela imagem, mas pela fé de quem orou.

8. Os católicos não adoram imagens

Essa acusação de que nós católicos adoramos imagens já está ultrapassada, mas sempre haverá quem insista nela. Chega a ser maldade. Quem insiste em nos acusar de idólatras mostra ignorância. Não há nenhuma passagem da doutrina da Igreja que permita colocar uma imagem no lugar de Deus. Mas a Bíblia não proíbe fazer ou ter imagens desde que saibamos por que as fazemos ou temos. Quem lê a Bíblia sabe disso. Se insistir em culpar quem tem imagens, estará julgando e caluniando um crente de outra Igreja. E isso é pecado gravíssimo (2Tm 3,3) (1Cor 6,10). Terão de responder por isso diante de Deus.

9. O que é um santo canonizado?

Já vimos o que é ser santo. A Igreja, porém, coloca como modelos especiais alguns cristãos, cuja vida foi excepcionalmente pura e límpida ou cujo exemplo de conversão foi digno de ser conhecido por todos. Por isso é que damos mais atenção a Francisco de Assis, Clara de Assis, Terezinha de Jesus, Inácio de Loyola, João Bosco, São Benedito, Maria Madalena, Paulo de Tarso e milhares de outros que mudaram de vida ou que viveram de maneira tão cristã, que nos incentivam a buscar Jesus como eles o buscaram. A Igreja então os *canoniza*, isto é, coloca no **cânone, cânon**, lista dos cristãos que devem ser imitados de maneira especial.

10. Os santos padroeiros

Exatamente pelo tipo de testemunho que cada santo deu, os católicos costumam escolher seus santos modelos. Chamam-nos, então, de *Santos Padroeiros*. São os que motivarão aquela capela, Igreja ou comunidade a viver como Jesus viveu. Por isso

IX. Sereis minhas testemunhas

as dedicam à memória de São Francisco das Chagas ou de Santo Antônio de Pádua e assim por diante.

Não é que um santo tenha mais poder do que o outro. É que o povo se identifica mais com este tipo de testemunho do que com aquele. Nossos nomes, por exemplo, são dados ou deveriam ter sido dados por essa razão. Quem se chama José deveria saber por que tem esse nome. Assim: Pedro, Paulo, Lourenço, Maria Goretti, Terezinha, Lourdes... O nome revela uma pessoa ou um fato a ser vivido pela pessoa batizada: Maria da Conceição, Maria Natividade, José da Paixão...

11. Jesus é o único salvador e intercessor dos homens
Nós católicos não cremos que algum santo salve alguém. Nem cremos que um santo fale ao Pai passando por cima de Jesus. Sabemos que só Jesus é o salvador do mundo e só ele é nosso intercessor junto ao Pai, isto é, o que nos defende diante do Criador de todas as coisas, porque só ele é o Filho bem-amado. Mas os santos são os que nos aproximam de Jesus com sua prece e com seu exemplo que tentamos imitar.

12. Estão certos os que nos criticam por falar com os santos?
É claro que não estão. Não deixa de ser estranho que algumas igrejas, que nos criticam por nos dirigirmos aos santos, no passado, chegavam a entrevistar o demônio com o microfone e diante da televisão. Falavam com o demônio para dominá-lo e nos criticavam por falar com os santos para pedir que orassem conosco. Falamos com os santos, que não conversam conosco, mas alguns daqueles pregadores conversavam com o demônio.

Se aqui na terra alguns irmãos pedem aos outros que orem por eles, se os próprios evangélicos, que, às vezes, nos acusam de "adorar" os santos, dizem que oraram ou orarão por nós, se uma pessoa pecadora pode interceder a Jesus por nós, por que não o podem os santos que eram bem mais limpos de alma do que nós que ainda vivemos e pecamos?

A Igreja acha que se deve orar aos santos para que eles nos ajudem a imitar Jesus como eles o imitaram. Não há nada de errado nisso. É o que se chama de *Comunhão dos Santos*. União dos vivos e mortos em Jesus.

Nós, os católicos romanos

110

13. Existem curas divinas e milagres?

A Igreja Católica crê que, aquilo que não é possível ao homem, é possível a Deus. Ela crê, pois, em milagres. Mas manda os fiéis tomarem cuidado com gente que abusa da boa-fé do povo, anunciando milagres falsos. E os aconselha também a primeiro buscar todos os recursos humanos antes de pedir o milagre. Não se deve tentar a Deus (Mt 4,7; Dt 6,16). Muitas curas divinas, feitas por algumas pessoas que se dizem escolhidas por Deus para salvar o povo, não passam de blefes e mentiras que, depois, a ciência comprova serem embustes ou autossugestão. Não se deve brincar com milagres. Mas milagres acontecem e não apenas em nossos templos. Deus não está preso a nenhuma igreja. Ele opera onde quiser. Mas é preciso discernir o que vem de Deus e o que é charlatanismo.

14. A Igreja condena toda e qualquer superstição

Superstição é atribuir a objetos ou gestos um poder que eles não possuem. Jogar pedrinhas de sal no fogo, esconder a vassoura atrás da porta, pôr uma vela acesa e uma galinha preta na encruzilhada, por exemplo, são superstições. Essas coisas e esses gestos não possuem o poder que se lhes atribui. O brasileiro tem muitas práticas supersticiosas, que precisam ser eliminadas da religião. E só uma boa cultura religiosa ajudará a entender que não precisamos de certos gestos ou coisas para chegarmos à verdade.

15. A Igreja ainda aprova antigas devoções?

Devoções antigas como a reza do rosário, recitação de ladainhas e de jaculatórias, desde que entendidas no contexto de prece e de meditação, a Igreja aceita e aprova. Inúmeros fiéis encontram força nessas práticas. Mas, por exemplo, a certeza de que quem comunga nas nove primeiras sextas-feiras de cada mês vai ser salvo é uma devoção condenada pela Igreja, porque leva o fiel a um conceito mágico da vida. Não é o número nove nem tal prática que faz alguém santo, e, sim, o espírito com que o fazemos.

Certas devoções não devem mais ser divulgadas, outras, sim. Devemos desconfiar de tudo aquilo que é apresentado como garantia de salvação. E quem diz que está salvo em Jesus, porque aderiu a esta ou àquela Igreja, é presunçoso. Devemos operar com temor e tremor nossa salvação, diz São Paulo (2Cor 5,11).

IX. Sereis minhas testemunhas

16. É válido fazer procissões e romarias?
Se o objetivo for positivo e educar o povo à prática inteligente da fé, sim. Uma procissão é um modo de levar o povo a entender, pelo gesto de caminhar atrás de uma imagem, que deve seguir o exemplo daquele santo ou do Senhor do Bonfim... Uma Romaria é um modo de dizer: "Vou àquele santuário com meus irmãos para viver a unidade da fé". A palavra **romaria** é atribuída ao hábito de fiéis irem a Roma, o centro da fé católica. Mas os judeus já faziam romarias anuais quando Roma nem existia. Há outra versão que liga essa palavra ao verbo **rumar**. Por isso são chamados de **romeiros ou rumeiros**. Quem vai a Aparecida ou Iguape para rezar com os irmãos e buscar unidade maior com seus irmãos naquele lugar de prece e fé é um romeiro. Isso é bom.

17. A Igreja ainda recomenda as novenas?
Sim. Desde que não se leve o número nove como número mágico. Quem quiser orar por nove dias por algum objetivo que o faça. Mas não por que são nove dias, e sim pelo motivo da oração...

18. O que é liturgia?
A participação do povo no culto prestado a Deus é chamada *liturgia*: *atos do povo de Deus*. A missa, por exemplo, é um ato do povo de Deus reunido em oração. É um culto público oficial da Igreja.

19. O que é paraliturgia?
Todo o ato do novo que conduz à oração, mas não tem a oficialidade de um culto especial, é chamado *paraliturgia*. Um jogral recitado na Igreja, uma Hora Santa, uma oração em grupo com cantos e meditações podem ser uma paraliturgia. Não é nem preciso a presença de um sacerdote em muitos casos para que seja paraliturgia.

20. Os votos e as promessas
O povo brasileiro tem várias práticas religiosas, chamadas de voto ou promessa. Trata-se de assumir um compromisso com Deus ou com algum santo "em troca" de alguma graça... Se receberem o que pediram, prometem fazer determinada coisa ou praticar determinados atos de devoção em algum lugar especial. Às vezes, não há essa "barganha" ou "troca" de favores. A pessoa simplesmente se sente levada a praticar determinada devoção, porque se sentiu beneficiada. Essas práticas se chamam votos ou promessas.

Nós, os católicos romanos

112

21. A Igreja é a favor de promessas?

Sim e não. Ela entende que, como motivação religiosa e, desde que feitas de maneira inteligente, sem machucar o corpo nem expor a saúde da pessoa, elas podem ter um sentido de doação e reconhecimento a Deus. De qualquer modo, não devem ter o sentido de barganha ou troca com Deus. E deve haver a humildade e a resignação de aceitar os fatos como Deus os quer e não como o fiel imaginou que devia ser.

22. Quem fez uma promessa que não pode cumprir

Acontece, às vezes, que pessoas em crise, no momento difícil, prometem coisas que depois não conseguem cumprir. Nesse caso, basta conversar com um sacerdote que estudou religião e tem discernimento suficiente para orientar a pessoa e, se for o caso, dispensá-la da promessa feita ou sugerir algum gesto menos prejudicial à pessoa. Um padre em Fátima e outro em Aparecida liberaram duas senhoras, uma lá e outra aqui no Brasil, de sua penitência.

23. Não vale fazer promessa para outro cumprir

Alguns pais prometem gestos e atitudes que os filhos devem cumprir caso, por exemplo, os filhos sejam beneficiados com o pedido dos pais. Isso, às vezes, é humilhante. Ninguém tem o direito de fazer promessa para outro cumprir; nem os pais. E os filhos não são obrigados a cumprir promessas feitas por seus pais.

24. Por que nós oramos pelos mortos?

A Igreja crê que nossa vida continua em outra dimensão, mas não pode ter certeza de quem está com Deus, exceto em alguns casos, como na canonização de um santo. Nos demais casos, ela abstém seu julgamento por não saber o que se passa na hora da morte. Como não sabemos exatamente o que acontece depois desta vida, oramos pelos que morreram, confiando na misericórdia do Deus, que é pai dos vivos e dos mortos.

Não achamos ser perda de tempo nem inutilidade orar por um falecido, porque cremos na comunhão dos santos e sabemos que Deus está em tudo e em todos, inclusive naqueles que já morreram. Nisso discordamos de outras Igrejas que não acham necessário orar pelos mortos.

IX. Sereis minhas testemunhas

Maria: a testemunha

1. Maria de Nazaré ou Maria Santíssima

De Maria, a mãe de Jesus, podemos afirmar que foi testemunha chave, presente em todos os momentos da vida de seu filho. Ela procurou entender e testemunhou passo a passo a trajetória de Cristo.

Não apenas por isso, mas também por isso, nós, católicos, temos um carinho muito especial por Maria. O Concílio Vaticano II a chama de *Mãe da Igreja*. Se foi mãe do Cristo, é mãe da Igreja do Cristo. Diversos Documentos da Igreja lhe reservam lugar especial em nossa devoção. Devotamos muitos de nossos encontros a ela. Não a adoramos, por isso somos adoradores do Cristo, mas devotos de sua mãe. A Declaração de Puebla diz que Maria de Nazaré, a mãe de Jesus Cristo, é a Mãe da Vida Nova.

Por isso nós a chamamos de Maria Santíssima. Não porque é igual a Jesus ou a Deus Pai, mas porque depois de Jesus é a pessoa mais santa que já pisou à terra. Ela não é apenas mais uma santa. Se alguém entendeu de Cristo, este alguém foi ela.

114

Agora, no céu, que nós católicos cremos estar repleto de santos e de salvos em Cristo, ela ora conosco e por nós. Outras igrejas ensinam que o céu só se abrirá ao toque da última trombeta. Nós cremos no poder salvífico de Cristo, que não depende de data e prazo para levar alguém para o céu. A mãe dele está no céu.

2. O que diz a declaração de Puebla?

A Declaração de Puebla (ano de 1979) diz, entre outras coisas, que Maria é a realização mais alta da evangelização:

- a Serva do Senhor;
- a Mãe da Igreja;
- sem ela não se pode falar da Igreja;
- sem ela o Evangelho é desencarnado;
- é modelo da Igreja;
- é cooperadora ativa na redenção do mundo;
- é a servidora da humanidade;
- garantia da grandeza feminina;
- exemplo de mulher, mãe da América Latina.

3. Os vários títulos de Nossa Senhora

O povo chama a mãe de Jesus de vários nomes: *Maria de Nazaré, Nossa Senhora, Maria Santíssima, Virgem Santíssima, Virgem Dolorosa, Mãe das Dores, Nossa Senhora de Fátima, Nossa Senhora de Lurdes* e assim por diante. Esses títulos se referem a fatos da vida de Maria ou a lugares onde ela teria se manifestado.

No Brasil, por causa da imagem negra achada no Rio Paraíba, onde primeiro apareceu a cabeça e depois o corpo da referida imagem, ela tem o nome de *Nossa Senhora Aparecida*, isto é, *Nossa Senhora cuja imagem apareceu no Rio Paraíba*. Não houve aparição, mas ilação. Os fiéis viram, na união dos dois pedaços jogados na lama do rio, um sinal para sua fé. A imagem salva da lama, reencontrada e reconstituída, é venerada por nós como exemplo para o Brasil. Leva à mística da restauração e da libertação dos feridos no corpo e na alma. Não foi preciso que Maria aparecesse para o povo entender a mensagem.

X. Maria: a testemunha

Mas há muitos títulos e devoções a Maria que não foram apoiados pela Igreja. Alguns foram proibidos, porque a imagem deturpava o papel de Maria na vida do Cristo.

4. Nossa Senhora é uma só

As pessoas muito simples falam de Nossa Senhora, mãe de Jesus, como se fossem mulheres diferentes: Fátima, Lurdes, Aparecida, Salete... Mas é sempre a mesma mãe de Jesus, que se manifestou em lugares e situações diferentes e o povo faz imagens que lembram o acontecimento. É preciso explicar isso às crianças e às pessoas mais simples, senão elas confundem o papel de Maria na Igreja.

5. Por que alguns cristãos atacam tanto Nossa Senhora?

Em todas as religiões, há pessoas boas, pessoas sinceras, pessoas cultas e pessoas ignorantes. As pessoas mal-intencionadas e ignorantes de algumas religiões, querendo nos atacar, nós católicos, por gostarmos tanto da mãe de Jesus, caluniam-nos, dizendo que nós adoramos Nossa Senhora, o que não é verdade. E, querendo provar que somos idólatras, falam mal de Maria, dizendo que ela não foi tão grande como nós dizemos que foi.

Mas são poucos que assim agem. A maioria das pessoas de outras religiões querem bem à Mãe de Jesus e reservam palavras elogiosas para ela em seus cultos. O próprio Lutero, logo que rompeu com a Igreja Católica e deu origem a muitas igrejas evangélicas, tinha palavras de profundo amor por Maria. Não confundamos todas as religiões com alguns pregadores agressivos.

6. Nossa Senhora teve mais de um filho?

Pelo menos na Bíblia está claro que Nossa Senhora só teve um filho. E esse filho foi Jesus. Simão, Judas, José e Tiago e as irmãs de Jesus, que são citados como irmãos em Jo 2,12; Mc 3,31-35, Mt 13,55ss. e outras passagens, são filhos de outras mulheres chamadas Maria, como no caso de Tiago, Judas e José, que são filhos de Maria, mas não a Maria mãe de Jesus. Mateus também fala de "outra Maria" (27,61; 28,1). Depois, onde estavam os outros filhos de Maria quando ela fez a peregrinação pascal ao templo e Jesus ficou no tem-

Nós, os católicos romanos

116

plo? Só falam dela e dele e não falam dos irmãos mais novos. Onde estavam os outros filhos quando Jesus entregou sua mãe aos cuidados de João Evangelista (Jo 19,26s.)? Não seria normal que Maria ficasse com os irmãos mais novos de Jesus se houvesse outros filhos? Nós católicos temos certeza de que Jesus foi o único filho que Maria teve.

7. A palavra irmão

Na Bíblia, às vezes, a palavra *irmão* quer dizer primo ou parente próximo. Primos Jesus teve muitos. Judas e Tiago Maior eram provavelmente seus primos. Não o Judas Iscariotes, e, sim, Judas Tadeu, filho de Alfeu. E os irmãos deles eram Simão e José.

8. Nossa Senhora era virgem. O que quer dizer isso?

Baseada no texto de Lc 1,26-38, a Igreja crê que o que se passou na gravidez de Maria foi diferente do que se dá com todas as demais mulheres. Não foi José que, por meio do ato sexual, depositou o sêmen no útero de Maria, e, sim, Deus que a fez mãe de Jesus, embora José fosse esposo dela. A Igreja não crê nisso por achar que o sexo não é bonito, mas porque não tem motivos para duvidar dos textos acima citados. Além disso, as passagens de Mt 1,18-22 deixam claro que José sabia que o filho não era dele.

É uma questão de fé. Há pessoas que duvidam. Nós católicos acreditamos que Deus pode querer que o filho dele nasça de alguém especial e de maneira especial, sem nenhum demérito para José, o esposo de Maria.

9. Maria, Mãe da América Latina

O Papa João Paulo II, na Homilia pronunciada na Basílica de Nossa Senhora de Guadalupe no dia 27 de janeiro de 1979, chamou Maria de Mãe do México e de Mãe da América Latina. Nossos povos têm um carinho muito filial para com a mãe de Jesus, nosso irmão. E tal devoção deve ser cada dia mais incentivada, desde que todos entendam que Maria é importante na Igreja, mas não está acima de Jesus. Porém, depois dele, ninguém é mais importante para a Igreja Católica do que Maria.

X. Maria: a testemunha

117

10. Maria ainda não entrou no céu?

Alguns cristãos ficaram com a versão judaica do Sheol (Sl 95,11). A versão cristã da vida, depois da morte, vai além da doutrina do sheol ou do repouso. Jesus é redentor eficaz. Ele pode salvar e salva e salvou bilhões que confiaram nele. O céu não é descanso: é paz, não é parado, é dinâmico, lá se ora, louva, intercede.

Impressionados por afirmações ouvidas em programas de pregadores pentecostais ou evangélicos, que citam algumas passagens de Paulo (1Cor 15,52; Mt 24,31; 1Ts 4,6), das quais se pode concluir que até agora ninguém entrou no céu, porque ainda não soou a última trombeta, muitos católicos ficam confusos. Basta que leiam também, na mesma Bíblia, outras passagens e usem do raciocínio (Ap 1,10; Jo 14,3; Lc 23,43; 2Cor 12,4). Jesus diz que virá buscar quem confia nele e não dá prazo nem data. O próprio Jesus imediatamente ressuscitou Lázaro, a menina Talita e o jovem de Naim. Eles tinham morrido, e Jesus não esperou a última trombeta... Jesus também disse ao ladrão arrependido que no mesmo dia ele entraria no paraíso.

Os que dizem que paraíso ainda não é céu dizem por própria conta, porque inúmeras passagens bíblicas identificam paraíso celeste com colo e misericórdia de Deus. Quem quer discutir vai sempre achar uma vírgula ou um ponto e vírgula, que mudam tudo e fazem tudo ser como ele ensina. O fato é que há passagens bíblicas que tanto podem nos ajudar a crer em uma ou em outra doutrina a respeito da morte e da salvação.

Além disso, quem canta que *o sangue de Jesus tem poder* está admitindo que Jesus tem o poder de salvar. E, se Jesus ainda não salvou nem mesmo sua mãe, então ele é um redentor muito limitado, que precisa do prazo e do soar de uma trombeta para salvar uma alma... O próprio Paulo deixa o assunto em suspenso (2Cor 12,2-3). Ele mesmo não sabe definir sua experiência.

Para nós o céu tem bilhões de pessoas salvas pelos méritos do Cristo. A mãe dele, certamente, está lá!

Nós, os católicos romanos

XI

Ser católico hoje

1. Somos chamados à abrangência

Nunca foi fácil ser católico e hoje está ainda mais difícil. Somos contestados por milhares de igrejas e movimentos religiosos, filosóficos e políticos. Assim mesmo, por mais que nos ofendam, a Igreja exige de nós que sejamos gentis e acolhedores. Podemos e devemos assumir a atitude do cristão que dá a outra face, mas não se cala: "Tu me ofendes e eu não te ofendo. Não pretendo te ofender, mas deixarei de me defender!"

Todos os cristãos têm vocação de acolher. A doutrina fundamental da Igreja é a de que o Pai mandou seu Filho Jesus Cristo para chamar os homens ao amor. E o amor se traduz pela caridade e pelo serviço aos irmãos. Se toda a humanidade é chamada a servir, muito mais ainda os cristãos.

No Vaticano, que é o templo mais importante dos católicos, há uma série de colunas que como enorme braço se abrem para o mundo. Não há portões. Entra e sai quem quer sem ter de bater. Aquelas colunatas não rejeitam quem não entra, nem aprisio-

120

nam quem entra. No alto estão imagens de santos que já estão no céu e embaixo são bem-vindos os candidatos a santos que por lá circulam e também os de outras religiões, para quem existe a mesma liberdade. Foi abusando dessa liberdade que Ali Agka, de formação islâmica, traiu sua própria fé e tentou matar o papa João Paulo II, que saudava o povo e o acolhia. Foi em um dia 13 de maio, festa de Nossa Senhora de Fátima. O papa depois o visitou e o perdoou. É o que se espera de um líder católico.

2. Somos chamados a ser santos

O Deus, que nos criou, quer-nos semelhantes a Ele. Senão, nem teria sentido a criação. O Deus, que cria por amor, quer-nos o mais parecido, que possamos ser, a Ele. O próprio Jesus nos diz: *Sede perfeitos como o Pai é perfeito* (Mt 5,48). Somos, pois, chamados a chegar o mais perto possível de Deus. Isso quer dizer: ser santos.

3. Somos chamados a fazer a história

Um cristão que não se preocupasse com a situação de seu povo e com os problemas de seu tempo seria um péssimo cristão, porque demonstraria estar pensando só em salvar-se. Todos os cristãos devem participar da vida social e política de seu povo e fazer a história de seu povo, levando-o para Deus.

4. Chamados a viver em teologia

Pode não parecer, mas todos os cristãos são chamados a viver em teologia. O estudo de Deus, da procura por Deus, dos encontros, das descobertas, das revelações, das conclusões e das doutrinas, que apontam para Deus, é mais importante do que parece. Ninguém de nós está dispensado de saber mais sobre Deus sempre, Deus ontem, Deus agora e Deus amanhã. Ele sempre foi e será quem é, mas nós nos dividiremos em ateus, agnósticos, crentes, crentes que se acham mais crentes, crentes desinformados e crentes estudiosos.

Theós e *Logos* são duas palavras gregas que apontam para o aprendizado e o estudo sobre Deus.

XI. Ser católico hoje

a. Entre o místico e o teólogo

Vários tipos de testemunho apontam para nossos passos na direção de Deus. Há o místico estudioso que o encontrou, mas segue procurando. Há o estudioso que o procura e estuda, mas ora pouco e vive pouco o que estuda. Há o que ora muito. Mas estuda pouco. Há o que diz que tem certezas e o que tem dúvidas. E há o que tem algumas boas certezas e respostas e algumas boas perguntas e muitas dúvidas, porque Deus é muito mais do que o intelecto humano consegue saber.

Causa espécie o comportamento de alguns cristãos que preferem seguir videntes, que dizem manter contato direto com Deus ou com algum de seus santos ou anjos, a ouvir os estudiosos que mostram o ontem, o hoje e o possível amanhã da fé. Tem acontecido que alguns grupos, mesmo alertados para os erros teológicos ou doutrinários de alguma canção ou prece composta ou cantada por algum vidente, ficam com ele e ignoram a doutrina oficial da Igreja e os conhecimentos dos teólogos.

Quem teima em orar novenas eficacíssimas e orações de poder, quem teima em cultos que a Igreja desaconselha, porque seu pregador ou vidente preferido os divulga, escolheu o pregador de certezas e garantias que a fé não pode oferecer. Se é verdade que muitos teólogos erraram também é verdade que muitos videntes também erraram e levaram consigo milhares de seguidores.

O bispo teólogo alertou contra uma pseudoaparição de Nossa Senhora em uma diocese e proibiu o vidente de realizar cultos. Ele mudou-se para um sítio e lá prosseguiu suas mensagens de sábados. Um dia, ele, enfermo, admitiu a farsa. Seus seguidores perceberam que o bispo teólogo estava certo. Mas tinham escolhido. Foram atrás de outro vidente... Toda opção precisa de conversão permanente. O magistério da Igreja existe para orientar os videntes e os estudiosos da fé a não abandonarem a unidade... Não há nem vidente, nem teólogo perfeito. Viver em teologia é vocação árdua e exigente.

5. Somos o novo povo de Deus

No Antigo Testamento, os Judeus (Hebreus) tinham a certeza de que eram um povo escolhido, especial. Sua cultura os mantinha em teologia e voltados para Deus. Os cristãos, que herdaram muita coisa dos Hebreus, sendo Jesus um judeu, consideram-se herdeiros e aperfeiçoadores da missão dada ao povo de Israel. Por isso nos proclamamos o Novo Povo de Deus. Jesus trouxe a Boa-nova. Renovou o judaísmo e aperfeiçoou a lei antiga. Mas já faz tempo que não ensinamos que Deus rejeitou Israel. No dizer de São João Paulo II, são nossos irmãos mais velhos. As injustiças do passado foram e devem seguir sendo superadas.

a. A Igreja é um povo santo e pecador

Mesmo entendendo que somos um povo santo e novo povo de Deus, temos a obrigação de admitir nossas fraquezas, se queremos ser realistas. Deus não nos chamou porque somos perfeitos, mas para sermos perfeitos. Por isso a Igreja se proclama santa, mas pecadora... Há quem não aceite essa afirmação, mas ela está expressa várias vezes nos momentos penitenciais da missa. Reconhecemos que somos igreja e ainda somos pecadores necessitados de compaixão e de misericórdia.

b. Novos povos de Deus

Assim como nós católicos nos proclamamos *novo povo de Deus*, novas igrejas cristãs recém-fundadas também se proclamam *nova igreja ou novo povo de Deus* e seu discurso é o de quem nos rejeita, porque, segundo eles, teríamos traído os Evangelhos. Jesus agora está com eles e nós fomos rejeitados.

Muitos católicos foram para lá, encantados com essa novíssima eleição. A Boa-nova tornou-se para eles a melhor novidade. Repetem contra nós o que um dia entre nós se fez contra o povo hebreu. Amadurecerão e, daqui a décadas ou séculos, se sobreviverem, seus pregadores nos pedirão perdão como nós já pedimos aos judeus... O exclusivismo leva à exclusão, e as exclusões levam a prepotências e presunções. Nunca é demais começar nossas preces pedindo perdão por nossas prepotências

XI. Ser católico hoje

e presunções. Uma coisa é ser escolhido e outra é "marquetear--se" como eleito e escolhido.

6. *Somos um povo peregrino*
Os cristãos entendem que a vida continua depois da morte. Não podemos, pois, querer aqui morada permanente. A morte é inevitável. Estamos aqui de passagem. E temos de fazer o melhor possível dessa passagem pelo tempo e pela vida terrena. Por isso somos peregrinos. Isso implica uma grande conclusão: quem é cristão não pode se apegar aos bens materiais. Quanto mais apegado à riqueza menos apto para o Reino de Deus. Foi Jesus quem o disse (Mt 19,23).

7. *Somos um povo enviado por Deus*
Cremos ainda que é Deus quem nos manda aos irmãos. Não vamos em nosso nome. Vamos no nome de Deus. Por isso precisamos ter a humildade de levar avante o convite e a palavra de Deus, e não a nossa opinião pessoal. O cristão deve, pois, conhecer bem a Bíblia e saber interpretá-la corretamente.

8. *Chamados a ser Povo de Deus: leigos na Igreja*
A palavra *laos* quer dizer povo. A Igreja é um povo e não apenas um ajuntamento de indivíduos. Como uma grande nação, temos uma unidade cultural, que nos faz ser uma só realidade. Por isso nós dizemos povo. E os leigos são este grande povo chamado a levar Jesus Cristo ao mundo e o mundo a Jesus Cristo.

9. *A Pastoral de nossa Igreja*
A palavra *pastoral* vem do termo *pastor* e significa o cuidado da Igreja por todos, por determinados grupos ou por indivíduos. Nesse sentido, não apenas os padres e bispos fazem pastoral, mas todos os cristãos que tenham algum encargo na Igreja são agentes de pastoral. Isto é, cuidam de seus irmãos na fé.
Por isso dizemos: pastoral dos enfermos, pastoral da Crisma, pastoral do Batismo, pastoral dos encarcerados e assim por diante.

Nós, os católicos romanos

10. Os grupos e associações e os movimentos
Na Igreja, para melhor motivação e disciplina de trabalho, existem grupos, comunidades, associações e movimentos. De acordo com a motivação e a necessidade, bem como de acordo com o tipo de estrutura e ação, uma porção de cristãos forma um grupo ou um movimento.

11. As Comunidades de Base
As comunidades de base na Igreja tentam aquilo que está no texto dos Atos (4,32-35). Em torno da pessoa de Jesus e do Evangelho conduzem sua vida espiritual, social e política, assumindo um papel de transformadores de sua sociedade. É uma das maneiras mais dinâmicas de viver como Igreja hoje.

12. Os movimentos de juventude
No cuidado que a Igreja tem com os jovens, criaram-se na Igreja muitas modalidades de motivar os jovens a assumirem seu lugar na Igreja como jovens, com todos os valores dessa fase da vida. Os movimentos de juventude se propõem a isso: mostrar ao jovem seu lugar na Igreja e na sociedade dentro de determinada mística.

13. Os Grupos de Base Juvenis
Nos últimos anos, por razões pastorais, a Igreja tem insistido na utilidade de formar com os jovens pequenos grupos, para que se respeitem mais o valor e a individualidade de cada jovem. Esses pequenos grupos, dependendo da dinâmica, podem ser chamados de grupos de base juvenis.

a. Jornada Mundial da Juventude
Sob as siglas JMJ no Brasil e nos países de língua hispânica e GMG em outros países, como Itália, tem acontecido por iniciativa de São João Paulo II grandes encontros dos jovens com o Papa. É iniciativa que provavelmente se realizará sempre. Ligado a ela está o YOUCAT, catecismo da juventude católica. É o esforço da Igreja de se aproximar dos jovens, ouvi-los e falar a eles de maneira especial.

XI. Ser católico hoje

14. Pastoral diocesana e pastoral paroquial
O cuidado que a Igreja manifesta por todos os fiéis compreendidos no âmbito de uma região ou de uma área da cidade é chamado de pastoral. É diocesana, se for da parte da diocese; é paroquial, se forem determinações e atitudes da paróquia.

15. Somos ovelhas e somos pastores
Todo o católico é chamado a obedecer e, em determinadas circunstâncias, a liderar. Nesse sentido, somos cuidados e cuidamos dos irmãos na fé. Por isso somos todos chamados a ser ativos na pastoral diocesana, participando ou como liderados ou como líderes, se a Igreja precisar de nossa liderança.

16. Deus continua chamando
Não existe ninguém que não seja chamado por Deus a um papel de responsabilidade na Igreja. E Deus continua chamando sempre.

17. Deus continua falando
A Bíblia não é um livro que a gente lê e depois encosta na estante. O que há nela é tão profundo, que é preciso ler sempre. É como se Deus continuasse falando sempre de um jeito novo, cada vez que lemos a Bíblia. E na verdade é isso que acontece. Deus fala sempre e sempre de maneira mais profunda à medida que aprendemos a escutá-lo.

18. A Igreja continua buscando
Uma das características mais encantadoras de ser católico é o fato de que a Igreja se considera santa e pecadora. Ela tem, pois, a humildade de reconhecer que precisa estudar sempre mais e aprender sempre mais com Jesus, com seus santos e com o mundo. A Igreja é, pois, uma comunidade que precisa ser aberta, pois só quem é humilde quer aprender mais sobre Deus e sobre o mundo.

Nós, os católicos romanos

126

19. O pensamento social da Igreja

Nesta busca humilde de novos caminhos para a humanidade, a Igreja formulou seu pensamento sobre a sociedade. O conteúdo básico está no livro CDS COMPÊNDIO DA DOUTRINA SOCIAL. É o que se pode chamar de introdução à sociologia do ponto de vista católico. O pensamento social da Igreja se baseia na Palavra de Deus, que está na Bíblia e em sua experiência de 2.000 anos. Como comunidade, a Igreja, às vezes, errou abraçando ou silenciando ante quadros de profunda injustiça. A escravidão, por exemplo, nem sempre foi combatida por todas as autoridades. Também houve episódios dos quais ela se penitencia. Os manuais de História registram injustiças sobre as quais a Igreja silenciou e nas quais ela até tomou parte. Mas ela se corrigiu e caminhou na direção de uma humanidade mais justa e mais fraterna. Hoje esse pensamento é corajosamente expresso em palavras e gestos proféticos. A Igreja quer uma sociedade mais justa no mundo inteiro.

20. Livros que deveríamos ler ao menos uma vez.

Os livros que mostram o que a Igreja pensa do mundo atual são muitos, mas quem lesse

- *o Novo Testamento,*
- *o Compêndio do Vaticano II,*
- *o CIC – Catecismo da Igreja Católica,*
- *o Compêndio da Doutrina Social,*
- *os 5 Documentos do Celam,*
- *as Encíclicas dos Últimos 4 Papas,*

teria uma boa ideia do que a Igreja pensa do mundo moderno.

21. Igreja progressista e Igreja tradicionalista

Fala-se muito em duas Igrejas. Uma seria a dos católicos moderados ou de direita, tidos como gente que não quer mudanças corajosas, e outra a dos que, adotando postura corajosa, pedem uma renovação radical da sociedade. Seriam, pois, os católicos

XI. Ser católico hoje

127

tradicionalistas e os progressistas. Mas esse tipo de terminologia na maioria das vezes é infeliz, além de insuficiente, pois ninguém é totalmente progressista nem totalmente tradicionalista. É preciso saber em que alguém é renovador e em que é conservador. Dentro da Igreja essa expressão não diz muito. O que há são pontos de vista diversos, que, se houver caridade, ao invés de nos dividir, nos unirão ainda mais em torno de Jesus. As ênfases são permitidas na Igreja desde que não provoquem feridas e monólogos. Quando alguém radicaliza sua posição, corre o risco de falar mais em seu nome do que no da Igreja ou de Jesus.

22. Por que a Igreja se preocupa com política?
A Igreja é feita de gente, que vive em determinadas circunstâncias de povos, países, geografia, situação social e econômica. É, pois, mais do que natural que, ao falar de uma sociedade justa como Jesus o quer, fale de política. É impossível falar do ser humano sem falar de política. Por isso a Igreja fala de política muitas vezes.

23. Procurar a caridade e a justiça na América Latina
Na América Latina, onde existem verdadeiras atrocidades em termos de injustiças sociais e onde a grande maioria é oprimida por esquemas errados de economia e concepção de sociedade, a Igreja falou e fala em favor dos pequenos e oprimidos. Ela quer sistemas mais humanos e mais justos, em que todos tenham chances iguais e o mínimo necessário para uma vida digna. Ela quer isso sem ódio e sem sangue, mas não admite que as coisas fiquem como estão. Sem ódio, mas também sem medo, ela prega uma nova sociedade nestes países.

24. O que a Igreja pensa do capitalismo?
A Igreja entende que o homem tem o direito à propriedade, mas nunca a ponto de oprimir os outros, com sua fome de possuir mais. Por isso ela condena a doutrina e a práxis capitalista, que dá excessiva importância ao indivíduo, ao ponto de incenti-

Nós, os católicos romanos

128

var quem tem mais a ter cada dia mais e de ignorar aqueles que não podem ter nem o suficiente. O capitalismo dá importância demasiada ao direito de uma pessoa ter mais bens, em prejuízo da comunidade em que ela vive. A Igreja condena o capitalismo radical por essa e por outras razões.

25. O que a Igreja pensa do comunismo?

O comunismo é uma concepção extremista do socialismo. Sofreu grandes revezes a partir de 1983. Mas há grupos que lutam por sua volta. Provou que não funciona na maioria dos países onde foi implantado, porque passou por cima dos direitos fundamentais da pessoa, sobretudo a liberdade de culto e de expressão.

Obrigou os cidadãos a votar apenas em um partido, criando situação na qual se torna impossível a alternância de poder. Não é compatível com a democracia participativa, embora enganosamente se proclame democrático e popular. O cidadão sem espaço e sem mídia para expor seu ponto de vista não tinha como enfrentar o poder dos partidos comunistas ditatoriais. Comunismo virou sinônimo de ditadura do proletariado.

Na ânsia de implantar a igualdade entre as pessoas, partiu para um esquema sociopolítico de economia tão controlada que terminou, onde foi instalado, por oprimir o homem que desejava ajudar a se libertar da miséria. Assim suprimiu liberdades, às quais homem algum pode renunciar. A Igreja condena no comunismo seu desrespeito à liberdade de expressão, à prática religiosa e ao direito de ir e vir, que fazem parte dos direitos fundamentais da pessoa. Para ela, o comunismo também é injusto e opressor.

26. A Igreja tem alguma coisa melhor do que capitalismo e comunismo?

Segundo a Igreja, não é o nome que conta nem o esquema, e, sim, o espírito de um sistema sociopolítico que liberta um povo. Ela busca, portanto, um caminho que não tenha as

XI. Ser católico hoje

injustiças do que hoje se conhece como capitalismo ou comunismo. É preciso preservar as liberdades fundamentais do homem sem permitir que um explore o outro. Como se chegará a isso, a História o dirá. Mas esses dois sistemas não nos servem como cristãos e católicos.

27. Em que partidos devemos votar?

No Brasil, a Igreja deixa claro que concorda com algumas colocações de determinados partidos e discorda de outras. Não faz, pois, o jogo de nenhum. Oficialmente a Igreja não se pronunciou nem jamais se pronunciará em favor de qualquer partido. Embora haja uma bancada evangélica, formada por deputados e senadores das igrejas protestantes ou pentecostais, a Igreja optou por não ter oficialmente uma bancada católica, embora sejamos maioria da população. Não cortejamos o poder e não cremos em um governo dominado por religiosos. No passado não foi bom e onde foi implantado, como no Irã, acabou em ditadura.

O Católico é livre para escolher seus candidatos, devendo fazê-lo com a responsabilidade de saber o que o candidato pensa e em que pontos ele se aproxima da visão cristã católica do ser humano. O voto é livre, inclusive dentro da Igreja. Somos livres para apoiar algum partido e livres para ir contra se ele se desvirtuar. Mas não há um partido católico: há católicos nos partidos.

28. Ser cristãos e ser patriotas

O Brasil é um país que se declara católico. Isso quer dizer que um bom católico deve servir o país, naquilo que realmente entende estar melhorando a sorte de nosso povo, e discordar naquilo em que vê que o povo está sendo prejudicado. Patriotismo não significa concordar com o governo em tudo, nem discordar do governo em tudo. Significa ter coragem suficiente para amar o país acima de grupos e pessoas que passam. E amar como cristãos e inspirados na fé católica e na Palavra de Deus.

Nós, os católicos romanos

29. A Igreja defende os direitos humanos

Porque não há nada da Declaração Universal dos Direitos Humanos de 1948 que contrarie o Evangelho, a Igreja defende esses direitos e a eles acrescenta ainda outros de inspiração evangélica.

Sua posição em favor de todas as pessoas como indivíduo e como grupo decorre de seu conceito de pessoa humana, feita à imagem e semelhança de Deus. Se ela não lutasse pelos direitos humanos, nem teria o direito de existir como Igreja Cristã.

XI. Ser católico hoje

XII

Católicos em defesa da vida

1. Católico não mata

Católico ou não, ninguém deveria matar. Se um católico mata, comete pecado grave, que o joga na corrente contrária à do Evangelho. Jesus mandou Pedro guardar a espada na bainha (Mt 26,52) e disse que discípulo seu morre pelos outros, mas não mata.

Católico não decide quem deve viver e quem deve morrer. É impensável um católico que apoie a guerra, o assassinato, o aborto, a eutanásia, o uso de células embrionárias e tudo o que significa a morte de alguém pelo bem desse alguém ou de outros. Uma coisa é dar a vida por uma causa e outra é tirar uma vida por uma causa. Por sermos católicos, por sermos abrangentes e buscarmos a inclusão, somos contra matar humanos que nos incomodem ou decidir por eles quando não podem decidir. É a razão pela qual defendemos os fetos e os enfermos em situação de vida considerada indigna ou injusta. Somos contra o aborto e contra a eutanásia.

132

2. Interromper uma vida

Se ateus ou membros de outras religiões admitem tais mortes, nós somos contra. E não defendemos apenas o feto ou o enfermo de família católica. Defendemos toda e qualquer vida. Não aceitamos que deputados, senadores ou juízes decretem que se pode matar legalmente. Não aceitamos a morte do arquiassassino nem a do inocente feto de apenas 8 semanas. De um, espera-se que um dia se torne mais humano e, do outro, espera-se que um dia se torne o ser humano que nasceu para se tornar. Interromper a vida dos dois, seja qual for o argumento, é brincar de "descriadores".

3. Matar não é solução

Para quem não crê em Deus a solução moderna segue as soluções do passado. Desde que os humanos existem, quando alguém causa problemas a alguém no poder, elimina-se tal pessoa e até mesmo sua família inteira. É o lado inclemente e selvagem dos humanos.

Para quem crê em Deus há uma solução bem mais moderna: assume-se aquela vida, porque ela não pertence nem aos pais, nem ao governo, nem à comunidade. Pertence a Deus. Quem vê tal crença como superstição terá de provar que sua decisão de interromper alguma vida é cultura e avanço humanista.

4. Contra a opinião da maioria

No mundo inteiro avançaram os laicistas e ateus, sufocando as vozes dos crentes, mesmo que estes sejam 95% da população. De posse da mídia e dos instrumentos de motivação e de convencimento, montam enorme lobby nos congressos, em defesa da grávida que não deseja ser mãe do feto que concebeu.

Os que se organizam em defesa do feto concebido têm perdido a polêmica. Os pró-aborto acabaram vencendo na maioria dos países de raiz cristã. O argumento é o de que se os crentes não querem abortar, não abortem; mas eles, que não acham que Deus existe nem tem direito absoluto sobre as vidas humanas, querem esse direito. Segundo eles, o Estado deve descriminalizar tais mortes, porque não consideram a mãe do feto como mãe nem o feto como filho ou como ser humano.

XII. Católicos em defesa da vida

Poderia ser humano em mais algumas semanas, mas, segundo as leis apoiadas em ciência questionável, ainda é apenas feto. Agem como se esse feto um dia pudesse tornar-se borboleta, cão ou macaco. Minimizam o fato de que se o deixarem viver será um ser humano. O lobby em defesa da grávida decide que seu feto não pode ser visto como ser humano. O lobby em defesa do humano, que já é em formação, tem perdido os debates.

5. *Católico vê o feto como ser humano*
Para um católico tem de ficar claro que: se ele pretende seguir como católico, um membro de nossa igreja não decide quem deve viver e quem deve morrer, mesmo que seja todo deformado, mesmo que esteja em dolorosa agonia, mesmo que tenha o tamanho de uma unha.

6. *Igreja contestada e ofendida*
Por sua firme defesa pró-feto e pró-vida, a Igreja católica tem sido duramente atacada. Os pró-grávida nos consideram sem coração. E nós lhes perguntamos se impedir um fruto humano de nascer também não é falta de coração. Grávida ao menos teve e tem escolha. O feto é um *go-el,* que não tem ninguém por ele. Os que tomam sua defesa são ardilosamente colocados como inimigos da mulher e da sociedade.

7. *Gestar um corpo sem cérebro*
Quando passou a lei que autoriza que a grávida de um feto sem cérebro interrompa esta vida, sem nenhuma perspectiva de sobreviver, alguém raciocinou que *uma igreja sem coração* quer uma gravidez e uma gestação inúteis de um feto sem cérebro. Alguém da Igreja respondeu que o feto sem cérebro será assassinado e morrerá por antecipação, por decisão de *legisladores sem coração.* Optaram pela grávida e contra seu fruto falho.
Uma cozinheira especialista em iguarias percebeu que, entre mil abacates, um deles veio sem caroço. Assim mesmo o considerou abacate raro e não se desfez dele. Alguém dirá que abacate não é pessoa. Isto mesmo: pessoa é mais do que abacate. Mesmo sem cérebro ainda merece ser vista como ser humano!

Nós, os católicos romanos

XIII

A comunicação dos católicos

1. Repercutir

"Então disse Moisés ao SENHOR: Ah, meu Senhor! Eu não sou homem eloquente, nem de ontem, nem de anteontem, nem ainda desde que tens falado a teu servo; porque sou pesado de boca e pesado de língua." (Êx 4,10)

Paulo, Irineu, os autores dos Evangelhos e das epístolas, Tertuliano, Orígenes, Agostinho, Thomás de Aquino, Meister Eckart, Alberto Magno, Thomas Morus, Erasmo, Joseph Ratzinger, Hans Küng, E. Schillebeexcks, Karl Rahner, bispos e Papas escritores, teólogos, especialistas em comunicação católica – e foram milhões deles – buscaram uma coisa em comum: repercutiram, cada qual com seus conhecimentos e suas opções, o que lhes afigurou ser a catequese católica: **catechein** é palavra grega que significa **repercutir, transmitir, passar adiante.**

136

Temos uma ideia de catequese na cerimônia do fogo na noite da Páscoa, cerimônia na qual, a partir de uma única fogueira, se acendem sucessiva, mas rapidamente, todas as velas dos fiéis, à medida que se canta *"Lumen Christi, Deo Gratias"* : *É a luz que vem do Cristo. Graças a Deus!* No círio pascal, na primeira vela a ser acesa na fogueira, à porta do templo, estão as letras gregas **alpha e ômega**. Primeira e última letra do alfabeto corresponderiam a nosso, começo e fim, objetivo inicial e final de nossa fé. É o que se poderia chamar de comunicação central de nossa fé católica. Paulo a sintetiza ao dizer que sua vida agora é Cristo. Ele está vivo e morto e ressuscitado em Jesus e é ungido no grande ungido Jesus – *Já estou crucificado com **Cristo**; e **vivo**, não mais eu, mas **Cristo** vive em mim; e a vida que agora **vivo** na carne, **vivo**-a na fé do Filho de Deus, o qual me amou e se entregou a si mesmo por mim (Gl 2,20)*.

2. Catequeses

Em todos os tempos foi a catequese, às vezes mais clara, às vezes confusa, por vezes obtusa, que determinou desvios ou rumos da fé. Pregadores famosos com doutrina errada ou com quem faltou diálogo criaram sérios rompimentos. É verdade que nem sempre o diálogo foi possível, porque a política de tal maneira se infiltrara na Igreja e os lados endureceram. Nem sempre foi questão de doutrina. Muitas vezes foi questão de ira, vaidade, frustração, interesses políticos e alianças políticas.

Dois papas de nome Leão, um no século XI (1054) e outro no século XVI (1517), Leão IX e Leão X, assistiram aos dois maiores conflitos do catolicismo. Primeiro houve a cisão do Ocidente e Oriente, com o patriarca católico Fócio, de Constantinopla, que deu origem aos Cristãos Ortodoxos. Cinco séculos depois, o conflito foi sob a liderança de Martinho Lutero, monge alemão agostiniano, que deu origem aos Protestantes, mais tarde denominados Evangélicos. E, poucos anos depois de Lutero, um rei que tinha até escrito teses em defesa do catolicismo rompeu com a Igreja Cristã Católica Romana para criar a Igreja Cristã Católica Anglicana.

Os rompimentos ou nasceram de discordâncias no conteúdo e na transmissão da catequese, ou deram origem a novas catequeses.

XIII. A comunicação dos católicos

3. Conceito e terminologia

Pode não parecer, mas religião não é apenas questão de vivência ou de fé: é, também, questão de conceito e de expressão.

Alguém pode ter uma fé sólida e não saber expressá-la corretamente; pode ter uma fé imatura e desinformada e transmiti-la de um jeito simpático, mas incorreto; pode ter conceitos errôneos, mas possuir um discurso convincente. Tem acontecido que pessoas simpáticas e queridas espalhem graves erros de teologia, isso, em nossas e em outras igrejas cristãs. Não foram e não são poucos os casos em que apresentadores e pregadores queridos e bem-amados ensinaram doutrinas erradas ou atitudes erradas por falta de precisão de conceitos e de termos.

4. Orar para que Deus possa abençoar

Ainda persiste em veículos de comunicação católica a expressão: *"Oremos para que Deus possa abençoar este empreendimento"*. A afirmação não se sustém, porque seria o mesmo que orar para que Deus seja Deus ou nos ame. Pedir que Deus abençoe alguém naquela hora e circunstância é uma coisa, pedir que ele possa abençoar é redundância: é claro que ele pode!

5. Aplaudir Nossa Senhora

A proposta foi correta. Maria merece os maiores louvores e aplausos por ter sido quem foi e ser quem é, porque cremos que ela está no céu com seu Filho e porque cremos que no céu se adora e se intercede. O sacerdote que apontou para a imagem e pediu que milhares de fiéis aplaudissem Nossa Senhora, "que entra pela nave da igreja", sabia o que queria, mas não soube se comunicar como católico. Maria, a mãe de Jesus, não estava entrando pela nave da igreja. Pela nave do templo entrava uma imagem de Maria.

Ele poderia ter dito: *"Aplaudam Nossa Senhora simbolizada nesta imagem, que entra no andor pela nave deste templo. Olhem a imagem e pensem em Maria, que está no céu ao lado de seu Filho Jesus"*. Ao propor aplausos para a imagem, sem a devida conceituação, deixou espaço para um culto errôneo às

Nós, os católicos romanos

138

imagens. Há o culto correto que não confunde a imagem com a pessoa que a imagem representa. Há outro que, por falta de boa catequese, leva o fiel a confundir a pessoa do santo com a imagem do santo. A comunicação dos católicos precisa ser bem clara, a começar dos animadores da liturgia e dos pregadores.

6. O menino e o avião

O menino de três anos que acabara de desembarcar no aeroporto, encantado com o tamanho da aeronave, gritou entusiasmado: *Olha, pai, parece um pássaro grandão!* O pai o levantou para que visse melhor o avião. Em sua inocência, ele conversou não com o piloto, mas com a aeronave que, para ele, ouvia e entendia sua fala: *Tchau, avião. Obrigado, porque você me trouxe para casa!* Sua inocência foi tocante. Ele não sabia que o avião voa porque tem pilotos e mecânicos a cuidar dele!

7. Nós e nossa comunicação

Em nossa devoção, precisamos deixar claro que sabemos a diferença entre o livro de papel chamado Bíblia e a Palavra nele contida; entre a escultura de gesso ou de madeira chamada *efígie* ou *imagem* e a pessoa que hoje está no céu e que é lembrada pela imagem.

Respeitamos o livro, porque ele contém a tradução da Palavra transmitida há séculos ao povo hebreu e a nós. Respeitamos as imagens, porque elas representam Jesus, Maria, a mãe de Jesus, Pedro, Paulo, Francisco, Clara, santos, que admiramos. E respeitamos os gestos e os textos da missa, porque há séculos a Eucaristia é a melhor forma de comunicação dos católicos com Deus.

8. Em busca do jeito e do conteúdo certos

Mas precisamos conhecer bem o significado dos substantivos, adjetivos, verbos, expressões e gestos que caracterizam nossa fé católica. Catecismos como este que você tem em mãos não são suficientes. Faltam mil detalhes que não há como pôr aqui em pouco mais de 140 páginas. Há que se ler o CIC (Catecismo da Igreja Católica), outros livros oficiais da Igreja sobre a

XIII. A comunicação dos católicos

doutrina e a vivência católica e livros que nos expliquem nossos principais temas e dogmas, além de livros que eventualmente corrijam o que aprendemos e andamos ensinando errado. Ninguém nasce sabendo, ninguém cresce sabendo tudo, mas podemos crescer mais sabendo mais. Há irmãos e irmãs que sabem mais e colocaram seus conhecimentos a nosso dispor em excelentes livros. Quem quer saber mais estuda. Aviões chegam aos aeroportos, porque durante o voo corrigem constantemente seus pequenos desvios. Façamos o mesmo com nossa maneira de evangelizar. Aperfeiçoemos nossa comunicação de católicos e não fiquemos irados quando alguém nos pede que melhoremos nossa catequese.

Nós, os católicos romanos

XIV

Católicos pró-sociais

1. O que fizerdes aos outros

Não há falácia maior do que proclamar uma fé baseada apenas em preces e milagres. Jesus questionou as duas atitudes quando desacompanhadas da caridade e da justiça social.

Claro como a luz do dia é o texto de Mateus 25,31-46. Não há católico que não o tenha ouvido ou lido. Juntamente com Mt 25,40 e 25,45 são marcas da pertença ao cristianismo e nele, ao catolicismo. Católico ou cristão de qualquer igreja que não se sente comprometido com quem sofre demonstram não ter assimilado os Evangelhos, nem a fé cristã. Ficou na festa, na devoção ou na ilusão de que tem Deus no coração.

2. Os textos

Ricos de conteúdo e cheios de provocação são os textos que promovem a justiça social.

142

Qual, pois, destes três te parece que foi o próximo daquele que caiu nas mãos dos salteadores? E ele disse: O que usou de misericórdia para com ele. Disse, pois, Jesus: Vai e faze da mesma maneira (Lc 10,36-37).

E, respondendo, ele disse: Amarás ao Senhor teu Deus de todo o teu coração, e de toda a tua alma, e de todas as tuas forças, e de todo o teu entendimento, e ao teu próximo como a ti mesmo (Lc 10,27).

E o segundo, semelhante a este, é: Amarás o teu próximo como a ti mesmo. Não há outro mandamento maior do que estes (Mc 12,31).

Mas, qualquer que escandalizar um destes pequeninos, que creem em mim, melhor lhe fora que se lhe pendurasse ao pescoço uma mó de azenha e se submergisse na profundeza do mar (Mt 18,6).

Assim, também, não é vontade de vosso Pai, que está nos céus, que um destes pequeninos se perca (Mt 18,14).

E, respondendo o Rei, dir-lhes-á: Em verdade vos digo que, quando o fizestes a um destes meus pequeninos irmãos, a mim o fizestes (Mt 25,40).

Então lhes responderá, dizendo: Em verdade vos digo que, quando a um destes pequeninos não o fizestes, não o fizestes a mim (Mt 25,45).

3. A grande mentira

Se alguém diz: Eu amo a Deus, e odeia a seu irmão, é mentiroso. Pois quem não ama seu irmão, ao qual viu, como pode amar a Deus, a quem não viu? (1Jo 4,20).

O empresário que descarregou em uma creche um caminhão carregado de bananas verdes não fez caridade. As bananas se perderam e não houve como vendê-las. Teria feito caridade se, dos 200 caminhões que vendeu naquele mês, desse o dinheiro de um deles.

O cantor que fez um show beneficente em favor de um hospital infantil e, por isso, cobrou mais caro, pelo número de pessoas que levou ao estádio poderia ter erguido uma ala de onze quar-

XIV. Católicos pró-sociais

tos. Como levou uma banda de 30 músicos e fez um show grandioso, acabou orçando em 90% da arrecadação seus proventos e despesas. Descontadas as despesas locais, sobrou para o hospital apenas 7%. Mal deu para concluir um quarto. Sua caridade caiu sob suspeita. Ele sabia, Deus viu e as religiosas viram. O Evangelho de São Marcos 12,40 condena esse tipo de caridade. Jesus afirma que não há maior amor do que o daquele que dá sua própria vida pelos outros (Jo 15,13).

4. Libertadores
Com Jesus somos chamados a libertar os outros do sofrimento. Não somos crucificadores e, sim, "descrucificadores" por vocação. Jesus propõe que alguém que quiser se considerar discípulo dele terá de carregar sua própria cruz e, além dela, a dos outros (Mt 10,38; Lc 3,11; 6,29).

Ninguém se considere dispensado do dever de servir e ajudar os que sofrem ou precisam de ajuda. A caridade é a marca do cristão que pretende anunciar Jesus. Falar bonito é fácil. Podemos até levar vantagens e ganhar aplausos se parecermos piedosos e santos. Jesus condena, veementemente, este comportamento e faz uma de suas mais duras ameaças exatamente contra pregadores da fé que ganham dinheiro fácil à custa do sofrimento alheio (Mc 12,40). E ridiculariza os fariseus que ostentavam sua pseudossantidade em jejuns abertos e posturas de quem procura louvores e aplausos. Chama a isto de hipocrisia.

> E, quando orares, não sejas como os hipócritas; pois se comprazem em orar em pé nas sinagogas, e nas esquinas das ruas, para serem vistos pelos homens. Em verdade vos digo que já receberam seu galardão (Mt 6,5).

5. Orar, acolher e ajudar
São três verbos difíceis da fé. Orar sem ostentação, acolher sem ingenuidade e com critério e ajudar de maneira pedagógica, para que o ajudado não seja eternamente um dependente, supõe a sabedoria da caridade.

Nós, os católicos romanos

144

O **CIC** (Catecismo da Igreja Católica), os **Documentos do Vaticano II** e os **Documentos do Celam** registram mais de 300 passagens, cada qual mais exigente e desafiadora ao católico que pretende ajudar a mudar a História e lutar por justiça e paz no mundo. Nos itens *Direitos Humanos, Dignidade Humana, Justiça* e *Paz, Solidariedade Cristã, Amor ao Próximo*, a Igreja Católica reitera sua firme convicção de que fé que não ajuda o outro não é fé cristã. Sem justiça não há paz.

6. Redomas

Somos todos chamados a fugir de redomas espirituais. Por maior que seja o refúgio e por mais distante que esteja o mosteiro, se houver pobres e sofredores na região, os cristãos devem sentir-se chamados a fazer algo para amenizar aquelas cruzes.

7. Paz inquieta

Nossa paz deve ser inquieta. Se estamos bem e gozamos de paz, precisamos ir ao encontro de quem, como os antigos **go-el** ou os **ptochói,** não tem ninguém. Terá a nós. Francisco e Clara de Assis eram jovens ricos e estavam bem, Vicente de Paulo e Tereza de Calcutá eram felizes e tinham paz. Por isso mesmo foram levar sua paz a quem não tinha, às pessoas, nas e debaixo das pontes.

Não temos todos de ir lá no meio dos toxicômanos ou das prostitutas escravizadas por um caminho sem saída. Para isso é preciso algum preparo. Mas podemos ajudar quem vai e, aonde se pode ir sem ter este preparo especial, devemos ir e ajudar. **O importante não é estar bem e, sim, estar bem e fazer o bem. Devemos amar ao próximo como amamos a nós mesmos.** Amar o próximo como se eu fosse uma parte dele e como se ele fosse uma parte de mim. *Mexeu com ele mexeu comigo! Doeu nele, doeu em mim!*

8. Pregadores comprometidos

Pregador que nunca toca em assuntos sociais precisa rever sua postura. Pregar a justiça e defender os pequenos e oprimidos é mais do que fazer política: é mostrar o Cristo que, além de

XIV. Católicos pró-sociais

perdoar pecados e nos dar a sensação da paz interior, exige de seus discípulos que tirem as pessoas do pecado que as oprime. Se elas estão com fome e passam frio, alguém falhou em provê-las o mínimo necessário. Enquanto elas não conseguem prover seu próprio bem-estar, temos o dever de, como indivíduos e comunidade, prover para elas o mínimo necessário. Se os políticos se omitirem, as igrejas não poderão se omitir. Crer em Jesus supõe este mínimo dos mínimos.

9. *Repitamos sem cessar*

Ressoem em nossos ouvidos, o tempo todo, as frases de Jesus:

Assim, também, não é vontade de vosso Pai, que está nos céus, que um destes pequeninos se perca (Mt 18,14). Ninguém tem maior amor do que este, de dar alguém sua vida pelos seus amigos (Jo 15,13).

Nós, os católicos romanos

Católicos em oração

1. Orar e rezar

Orar vem de **os**: em latim, **boca**. Supõe que a pessoa externe o que sente. Ela pode orar em silêncio, mas em geral a ideia de orar supõe diálogo aberto com Deus. Pode-se fazê-lo para que todos ouçam; em silêncio, mas perante os outros; e em voz alta diante dos outros ou com os outros. Há, pois, oração pessoal e coletiva, particular e pública. Rezar vem de **recitare**, é a oração recitada. Na prática usam-se as duas palavras para significar nossa busca de diálogo com Deus.

Jesus recomendou e praticou as duas (Mt 6,5-6; Mt 27,46; Jo 11,42), mas deixou claro que condenava a exibição fingida de piedade. Condenou o show de longas orações e repetições inúteis de palavras (Mt 6,7), condenou a oração fingida que visava a arrancar vantagens dos que a presenciassem e disse que os que abusavam dessa forma de oração sofreriam duro castigo (Mc 12,40).

148

2. Conteúdos e maneiras

Há nas mais diversas igrejas cristãs maneiras diferentes de orar. Mas todas as maneiras e conteúdos supõem o mínimo de ponderação e serenidade, para que mereçam o nome de prece cristã. O próprio Jesus diferencia a maneira dele ou dos discípulos da maneira farisaica ou pagã (Mt 6,5). Ensinou uma fórmula muito semelhante à já conhecida prece chamada *hagadish*, fórmula que se consagrou com o nome de *Pai-Nosso* (Mt 6,9). Mas Jesus fez muitas outras preces, que ficaram registradas nos Evangelhos (Jo 17,5-25).

3. Orar como católico

Algumas preces oficiais são propostas a todos os católicos. Há grupos que têm suas preces especiais. Desde que não neguem nenhuma passagem bíblica, nem o catecismo e a doutrina católica, e desde que os que escolheram orar daquela forma não se neguem a repetir com todos os católicos as preces oficiais da Igreja, eles podem seguir sua índole e orar da maneira característica de seu movimento.

4. Existem orações católicas não oficiais?

É o caso dos católicos que assumiram o que eles chamam de cultura de pentecostes. Muitos deles além de orar como a Igreja ora, às vezes, oram em línguas. Há recomendações para que não o façam em determinados encontros, nem durante a missa participada por outros católicos, nem pela televisão ou pelo rádio. Mas alguns o fazem e chegam a dizer que um dia a Igreja inteira orará como eles. Daqui a mil anos saberemos se é profecia ou piedoso desejo.

5. Deve-se levar alguém a orar diferente?

Embora até haja livros dizendo que se deve induzir os jovens a orar em línguas, ninguém deve ser obrigado a orar dessa forma e a ninguém deve ser proibido emitir aqueles sons característicos. Os papas não oraram daquela forma, nem a quase totalidade dos bispos e cardeais ora em línguas. Como Paulo, preferem usar

XV. Católicos em oração

de palavras inteligíveis (1Cor 14,5-18). Embora Paulo exigisse que houvesse um intérprete nas assembleias, em que se orava em línguas, essa proposta de Paulo nem sempre foi seguida. Na maioria das assembleias de hoje não há intérpretes. Fica, então, difícil discernir se é obra do Espírito Santo ou se não é.

6. *Orar em línguas amadurece mais a fé?*

A imensa maioria dos sacerdotes e leigos não ora em línguas. Ninguém deles é mais maduro ou menos maduro na fé por conta disso. Mas, se os que assim oram, segundo afirmam, são tocados e movidos pelo Espírito Santo, é o caso de os outros católicos respeitarem e dizerem com os Evangelhos: *Pelos frutos os conhecereis* (Mt 7,16). De qualquer forma, orar ou não orar diferente, orar ou não orar em sons inenarráveis ou indecifráveis não torna ninguém melhor do que os outros. Paulo é categórico nisso. Se é dom, respeitemos. Se é instrumentalização, discordemos daquela pessoa, mas não neguemos o que já existe na Igreja desde seus primórdios.

Vale a pena ler o longo texto de Paulo aos Coríntios sobre esse assunto de orar diferente (1Cor 14,5-18). Paulo não tinha medo de controvérsias e não teve medo de externar o que ele pensava sobre essa forma de orar.

7. *Os porquês e os para que da oração*

Ora-se por algum motivo. Fala-se com Deus por alguma razão: a) para adorá-lo e louvá-lo; b) para pedir seu perdão; c) para pedir graças; d) para agradecer alguma graça; e) para interceder.

Os motivos são inúmeros. Adoramos porque cremos nele, louvamos porque o amamos, pedimos perdão porque estamos arrependidos, prometemos porque assumimos compromisso com Ele, pedimos porque temos esperança de sermos atendidos e intercedemos porque a caridade nos leva a pensar nos outros que necessitam de algum favor do céu. Somos chamados a pedir mais pelos outros do que por nós mesmos.

Na missa oramos muito mais pelos outros do que por nossas necessidades pessoais. Falamos com o Pai em nome de Jesus e, finalmente, falamos com Jesus. É o que se chama de oração cristã.

8. Orar diante de uma imagem

Iconoclastas gregos do passado, com os quais a Igreja teve sérios problemas nos primeiros séculos e tornou a ter no século IX, infiltraram-se na Igreja e radicalmente combatiam o uso de imagens. Consideravam tudo idolátrico. Esqueceram-se de ler a Bíblia, que permite usá-las. Combatiam um exagero com outro. Na verdade, ontem havia e hoje ainda há, dentro e fora da Igreja, os que quebram imagens (iconoclastas) ou os que as combatem como se todo e qualquer uso delas fosse nocivo.

Agem como aquele que proíbe fósforos e facas em casa por medo de que algum membro da família se torne incendiário ou assassino. A questão não é ter ou não ter, fazer ou não fazer e, sim, não usar errado.

Mas errou gravemente aquele pregador que, sentado à mesa, invocou uma imagem de Nossa Senhora Aparecida afirmando, sem ulteriores explicações, que "a santinha" ali o inspiraria na palestra. Poderia ter feito o mesmo gesto e explicado que a contemplação da imagem da mãe de Jesus, enegrecida pela ação do tempo e das águas, ajudá-lo-ia a desenvolver o tema: "Famílias Refeitas". Como fez, pareceu idolatria. Deu a entender que a imagem era um amuleto.

9. O cordeiro de madeira e o bezerro de ouro

Errou também o sacerdote, aparentemente culto, que foi visto orando por quinze minutos diante de uma imagem de um cordeiro, portando um estandarte, que, supostamente, representava a vitória do Cordeiro de Deus.

Não errou ao usá-la e, sim, no modo de usá-la. Conversou diante da televisão com a imagem como se ela fosse Jesus. As palavras o traíram, pois deram a entender que estava conversando com o Cordeiro de Deus. Católicos leigos que viram ficaram chocados ao ver um sacerdote, supostamente preparado em teologia, orando daquele jeito diante de uma imagem. Lembraram o episódio do bezerro de ouro, que o sacerdote Arão, irmão de Moisés, permitiu ser erigido e diante do qual os israelitas oraram (Êx 32,8). Estranhamente, Moisés condenou à morte os adoradores do bezerro de ouro e não puniu seu irmão sacerdote, que concordou com aquele culto (Êx 32,19; 32,35; 32,20). Induziu o povo ao pecado e não foi punido pelo irmão.

Dos sacerdotes se espera que expliquem o uso das imagens e que, os de um lado, não permitam exageros de culto a ponto de a prece parecer idolátrica. Espera-se que os do outro não mintam, dizendo que a Bíblia proíbe o uso de qualquer imagem. Nesse caso, a acusação se torna aleivosa calúnia e deturpação da Bíblia para fins de proselitismo. Segundo a Bíblia, Deus até mandou Moisés fazê-las. Só proibiu que as adorassem.

A serpente de bronze (Nm 21,6-9), colocada sobre um pau, que servia para aqueles que foram picados por cobra no deserto buscarem o poder de Deus, enquanto era sinal de fé foi permitida. Quando a chamaram de Neushtan (2Rs 18,4) e, séculos depois, no reinado de Ezequias a adoraram, o rei mandou destruí-la.

Orar certo, do jeito certo, é dever de quem preside qualquer prece católica.

Nós, os católicos romanos

XVI

As orações dos católicos

O Pai-Nosso

Pai nosso, que estais nos céus, santificado seja o vosso nome, venha a nós o vosso reino, seja feita a vossa vontade, assim na terra como no céu. O pão nosso de cada dia nos dai hoje; perdoai-nos as nossas ofensas, assim como nós perdoamos a quem nos tem ofendido, e não nos deixeis cair em tentação. Mas livrai-nos do mal. Amém (Mt 6,9).

A Ave-Maria

Ave, Maria, cheia de graça, o Senhor é convosco; bendita sois vós entre as mulheres, e bendito é o fruto do vosso ventre, Jesus. Santa Maria, Mãe de Deus, rogai por nós, pecadores, agora e na hora de nossa morte. Amém (Lc 1,27-38).

O Creio (símbolo dos Apóstolos)

Creio em Deus Pai todo-poderoso, criador do céu e da terra; e em Jesus Cristo, seu único Filho, nosso Senhor; que foi concebido pelo poder do Espírito Santo; nasceu da Virgem Maria,

154

padeceu sob Pôncio Pilatos, foi crucificado, morto e sepultado; desceu à mansão dos mortos; ressuscitou ao terceiro dia; subiu aos céus, está sentado à direita de Deus Pai todo-poderoso, donde há de vir a julgar os vivos e os mortos; creio no Espírito Santo, na santa Igreja católica, na comunhão dos santos, na remissão dos pecados, na ressurreição da carne, na vida eterna. Amém.

O Hino à Glória de Deus
Glória a Deus nas alturas, e paz na terra aos homens por ele amados. Senhor Deus, Rei dos céus, Deus Pai, todo-poderoso. Nós vos louvamos, nós vos bendizemos, nós vos adoramos, nós vos glorificamos, nós vos damos graças por vossa imensa glória. Senhor Jesus Cristo, Filho Unigênito, Senhor Deus, Cordeiro de Deus, Filho de Deus Pai. Vós, que tirais o pecado do mundo, tende piedade de nós. Vós, que tirais o pecado do mundo, acolhei a nossa súplica. Vós, que estais à direita do Pai, tende piedade de nós. Só vós sois o Santo, só vós, o Senhor, só vós, o Altíssimo, Jesus Cristo, com o Espírito Santo, na glória de Deus Pai. Amém.

A invocação à Glória da Trindade
Glória ao Pai, ao Filho e ao Espírito Santo. Como era no princípio, agora e sempre. Amém.

Invocação às pessoas da Trindade
Em nome do Pai, do Filho e do Espírito Santo. Amém.
(Diz-se no início e no fim das orações)

As três cruzes
Pelo sinal da Santa Cruz, livrai-nos, Deus, nosso Senhor, dos nossos inimigos. Em nome do Pai, do Filho e do Espírito Santo. Amém.

Oração para antes e depois das refeições
Abençoai-nos, Senhor, e a esses vossos dons, que de vossa bondade vamos receber, por Cristo, nosso Senhor. Amém.
Deus, todo-poderoso, nós vos damos graças por todos os vossos benefícios, vós que viveis e reinais para sempre.

XVI. As orações dos católicos

O Magnificat
– Minha alma glorifica o Senhor;
exulta meu espírito
em Deus, meu Salvador:
– ele voltou os olhos para a humildade de sua serva,
doravante todas as gerações
me chamarão bem-aventurada.
– O Poderoso fez em mim maravilhas, Santo é seu nome!
– Sua misericórdia se estende
de geração em geração
sobre aqueles que o temem;
– manifestou o poder de seu braço,
dispersou os soberbos.
– Depôs do trono os poderosos
e exaltou os humildes;
– saciou de bens os que têm fome
e aos ricos despediu de mãos vazias.
– Veio em socorro de Israel, seu servo,
recordando-se de sua misericórdia,
– assim como prometera a nossos pais,
a Abraão e a seus filhos para sempre.
Glória ao Pai...

O Benedictus
– Bendito seja o Senhor, Deus de Israel,
porque visitou seu povo e o libertou;
– e suscitou para nós poderoso Salvador,
na casa de seu servo Davi,
– conforme prometera pela boca de seus santos,
os profetas dos tempos antigos,
– para nos libertar de nossos inimigos
e da mão de quantos nos odeiam.
– Assim fez misericórdia a nossos pais, †
lembrando-se de sua santa Aliança,
do juramento feito a Abraão, nosso pai;
– de nos conceder que, sem temor,

Nós, os católicos romanos

libertos das mãos de nossos inimigos, †
nós o sirvamos em justiça e santidade,
sob seu olhar, todos os nossos dias.
– E tu, menino, serás chamado profeta do Altíssimo, †
pois irás à frente do Senhor
para preparar os seus caminhos,
– para anunciar a seu povo a salvação,
pela remissão dos pecados;
– pelo amor do coração de nosso Deus,
Sol nascente que nos veio visitar.
– Luz do alto para os que se acham na treva, †
que jazem nas sombras da morte,
guia os nossos passos no caminho da paz.
Glória ao Pai...

Salve-Rainha

Salve, Rainha, Mãe de misericórdia, vida, doçura e esperança nossa, salve! A vós bradamos os degredados filhos de Eva. A vós suspiramos, gemendo e chorando neste vale de lágrimas. Eia, pois, advogada nossa, esses vossos olhos misericordiosos a nós volvei, e, depois deste desterro, mostrai-nos Jesus; bendito fruto do vosso ventre, ó clemente, ó piedosa, ó doce Virgem Maria. Rogai por nós, Santa Mãe de Deus.
– Para que sejamos dignos das promessas de Cristo.

Oremos: Ó Deus, cujo Filho Unigênito, por sua vida, morte e Ressurreição, alcançou-nos os prêmios da vida eterna, concedei, nós vos imploramos, que, honrando esses Mistérios do Santíssimo Rosário da Bem-aventurada Virgem, imitemos o que neles contém e alcancemos o que eles prometem. Pelo mesmo Cristo, nosso Senhor. Amém.

Os Mistérios do Rosário
Mistérios Gozosos
1. Anunciação (serás mãe do Filho do Altíssimo).
2. Visitação (tua parenta também concebeu).

XVI. As orações dos católicos

3. Natividade (nasceu-nos um menino).
4. Apresentação (circuncisão e Consagração).
5. Desencontro e reencontro (era-lhes submisso).

Mistérios Luminosos
1. O batismo de Jesus (neste momento cumpramos a justiça).
2. O milagre em Caná (filho, eles estão sem vinho!).
3. O anúncio do Reino (arrependei-vos, o Reino chegou).
4. A transfiguração (o rosto resplandeceu como Sol).
5. A Eucaristia (fazei isto em memória de mim).

Mistérios Dolorosos
1. Noite de agonia (minha alma está triste).
2. Flagelação (injustamente torturado).
3. Coroa de espinhos (ridicularizado).
4. Levou sua própria cruz (como se fosse bandido).
5. Morte na cruz (perdoai-lhes. Não sabem a extensão de seu crime!).

Mistérios Gloriosos
1. Ressurreição (Ele disse que ressuscitaria).
2. Jesus sobe aos céus (irei e voltarei).
3. Pentecostes (recebei o Espírito Santo).
4. Assunção (os anjos levaram Maria).
5. Maria Rainha (o filho tem o poder: ela tem o pedir).

A oração do Ângelus
O anjo do Senhor anunciou a Maria.
– E ela concebeu do Espírito Santo. (Ave, Maria...)
Eis aqui a escrava do Senhor.
– Faça-se em mim segundo a vossa palavra. (Ave, Maria...)
E o Verbo Divino se fez homem.
– E habitou entre nós. (Ave, Maria...)
Rogai por nós, Santa Mãe de Deus.
– Para que sejamos dignos das promessas de Cristo.

Nós, os católicos romanos

Oremos: Infundi, Senhor, nós vos pedimos, a vossa graça em nossos corações, para que nós, que pela anunciação do Anjo conhecemos a encarnação do vosso Filho, sejamos conduzidos, pela sua paixão e cruz, à glória da Ressurreição. Por Cristo, nosso Senhor. Amém.

Orações Vocacionais
Oração pelas vocações (I)
Pai nosso,
vosso Filho Jesus,
que nos ensinou a chamar-vos de Pai,
ensinou-nos igualmente
a pedir-vos operários para vossa messe,
cada vez maior.

Como nos prometestes conceder-nos tudo
em nome do vosso Filho,
é nele e por ele que vos pedimos
sacerdotes, religiosos, religiosas e leigos comprometidos
com as paróquias e dioceses de toda a Igreja.

Assim nossas comunidades poderão crescer,
inspiradas pelo Evangelho,
unificadas pela Eucaristia
e conduzidas por seus pastores.

Que os nossos jovens respondam generosos ao vosso apelo,
abrindo o seu coração aos humildes e pobres
e perseverando alegres no vosso serviço.

Guardai no vosso amor o Santo Padre, o Papa,
todos os bispos e padres que nos servem,
como também os religiosos
e religiosas, que nos ajudam
com seus trabalhos e orações.

XVI. As orações dos católicos

Acompanhai-nos com a vossa bênção
e dai-nos a graça de construir com eles
vosso Reino de Verdade e Vida,
de Justiça e Paz.
Amém.

Oração pelas vocações (II)

Jesus, Sumo Sacerdote e eterno Redentor, nós vos pedimos que chameis moços e moças para vos servirem como sacerdotes e religiosos. Que sejam inspirados pelas vidas de Sacerdotes, Irmãos e Irmãs dedicados. Dai a seus pais a graça da generosidade e da confiança em vós e em seus filhos, para que eles sejam auxiliados a escolherem seu estado de vida com sabedoria e liberdade. Senhor, que nos dissestes "A messe é grande e poucos são os operários, pedi, pois, ao Senhor da messe que mande operários para sua messe"; nós vos pedimos a graça de conhecer e seguir a vocação para a qual nos chamastes. Pedimos especialmente por aqueles que foram chamados para servirem como Sacerdotes, Irmãos e Irmãs; pelos que chamastes, pelos que estais chamando agora e pelos que vós chamareis. Que sejam abertos e sensíveis ao chamado para servirem vosso povo! Isso vos pedimos por Cristo, nosso Senhor. Amém.

Nós, os católicos romanos

XVII

Santos e pecadores

1. Fique bem claro, em toda e qualquer catequese católica, que nosso jeito de louvar, de orar e de fazer teologia não é nem o único, nem necessariamente o melhor. Saber comunicar bem não nos faz mais santos nem mais de Deus do que os outros, mas certamente nos habilita a promover mais cultura católica. Que fique claro que, sim, há maneiras mais profundas e mais ricas de conteúdo, a partir do uso que fazemos da Palavra de Deus e da larga e vasta experiência da Igreja.

***

Quanto melhor informados forem o pregador e o fiel, maior a chance de sua pregação ser mais católica; quanto menos abertos a diálogos e fechados em uma só maneira de buscar ou de expressar a fé, tanto mais estreitos seus horizontes e sua fé. Vislumbra menos que mais se deslumbra. Vê mais quem, em vez de encarar o holofote, encara tudo o que o holofote ilumina.

***

162

Pelo conteúdo de nossas celebrações se deduz que nos consideramos candidatos a santos, porque Deus nos quer participantes de sua glória. Ele é **kdosh, e sua kvod (glória, luz que ilumina)** nos é oferecida das mais diversas maneiras, mas ela se manifesta em plenitude na pessoa de Jesus.

***

Mas admitimos que ainda somos pecadores e precisamos de perdão constante. Por isso nos proclamamos santos por vocação e pecadores por condição de humanos e imperfeitos. Deus é santo perfeito. Nós somos santos imperfeitos.

***

A Igreja Católica se proclama e quer ser Una, Santa, Católica e Apostólica. E é Romana, porque segue a liderança do bispo de Roma. Outras igrejas cristãs se organizam de outras formas. Nós começamos a optar por esta desde meados do século III (cerca de 250), com as propostas do bispo São Cipriano e Cartago.

***

As palavras **católico, cristão, evangélico, protestante, ortodoxo, anglicano** ou **pentecostal** não estão na Bíblia. Vieram depois, por circunstâncias históricas, à medida que surgia alguma divisão ou discordância entre os crentes em Jesus. Alguém achou que o outro estava errado e acreditou que sua maneira de crer e de se expressar traduzia melhor o jeito de Jesus. Onde há o humano quase sempre há o pecado e a virtude. Por mais sincera que seja a intenção do fiel, ao fugir do diálogo e buscar ou assumir a divisão e o confronto, põe em risco a unidade e a caridade. Isso explica a dificuldade de diálogo que ainda existe entre muitas igrejas cristãs.

2. Os termos **cristão** e **católico** foram utilizados pela primeira vez em fins do século I e começos do século II. Em Antioquia (At 11,26), pela primeira vez se usou o nome cristão! Inácio de Antioquia († 110 d.C.) foi o primeiro a usar a palavra

XVII. Santos e pecadores

163

católico. Por muito tempo os cristãos foram caminhantes a trilhar **O Caminho**, nome registrado em Atos 16,17; 19,9; 19,23; 24,14; 24,22. Era essa a proposta que, depois, aos poucos foi chamada de **cristianismo.**

3. Cirício foi o bispo de Roma (384-399) a adotar oficialmente para seu ministério o apelido **Papa** (termo carinhoso para **pai**). A palavra ainda é usada em muitas línguas com acento diferente: *pápi, papá, pá, painho.* Leão I (440-461) assumiu pela primeira vez o título de **Sumo Pontífice**, que subentende ser o Papa o cristão que mais deve construir pontes e levar ao diálogo. Na Igreja **Una** por vocação ele deve ser o homem-aproximador em Cristo.

4. Quando, pois, um católico afirma que nossa Igreja tem 20 séculos e outros irmãos ou adversários afirmam que só começamos a ter um papa no século IV, os fatos mostram que já se usavam as expressões **cristão** e **católico** há cerca de 70 anos depois da morte de Jesus.

5. Somos hoje a mais antiga e a mais numerosa de todas as igrejas cristãs. Mesmo com o crescimento vertiginoso das igrejas pentecostais no Brasil e em outros países, divididas em muitas denominações, ainda somos a mais numerosa igreja cristã.

O fato de um bispo de Roma haver adotado oficialmente a palavra Papa no fim do século IV, não significa que o Bispo de Roma não fosse aceito muito antes como líder da Igreja Cristã Católica.

6. A unidade centrada nos bispos e depois no papa nasceu como resposta às correntes cristãs que pretendiam ser as novas e verdadeiras intérpretes das escrituras acerca do Cristo, sendo Montano (séc. II), Ário (séc. III a IV), Êutiques, (séc. IV) e três dos mais fortes desafiantes da fé católica de então. Não eram más pessoas. Acreditavam sinceramente que seu modo de ver a pessoa de Jesus era o mais próximo da verdade sobre Jesus.

Nós, os católicos romanos

164

7. Desde os primeiros séculos circulavam as mais diversas doutrinas sobre o Ungido de Deus: o Cristo. A fé neste ungido, que uniria e resgataria a humanidade, vinha do judaísmo e atravessara milênios. Os cristãos afirmavam que ele já viera e era Jesus de Nazaré. Mas as doutrinas conflitavam desde o começo. O Pai teria se encarnado, o Espírito Santo teria se encarnado. Jesus era duas pessoas, ou era uma só pessoa, que tinha uma só natureza divina, ou tinha apenas a natureza humana... Assim ensinava cada pregador e cada grupo que aparecia.

8. Em alguns casos, rígidas disciplinas levavam ao desprezo pelo mundo, que matou o Filho de Deus. Montanistas e, em sua esteira, Nicolaitas, Adamitas, Gnósticos, aprofundando cada dia mais as doutrinas montanistas, influenciavam os cristãos. Não tardou e apareceram antibispos e antipapas. Todos se apresentavam como herdeiros da verdade e reformadores da fé. Uma guerra aberta entre Calisto I (217-222) e Hipólito, que se proclamou papa e afrontou três papas, Calisto I, Urbano e Ponciano, atingiu duramente os cristãos do terceiro século. Os cristãos estavam outra vez divididos.

9. Estranhas controvérsias se arrastaram por séculos. Basta lembrar que levou quase 800 anos até se formar o texto do Credo como conhecemos hoje. O consenso sobre que livros Deus realmente inspirou até hoje nos desune. A fórmula do que seria essencial para a fé cristã demorou quase um milênio a se conseguir. O Cristo, o Pai e o Espírito Santo, que os homens acima citados propunham, não foram aceitos pelas igrejas e pelos bispos cuja doutrina prevaleceu.

10. Hoje, é consenso entre as igrejas que se definem como cristãs que só o Filho se encarnou e que ele existia desde todo sempre. O Pai não se encarnou. O Espírito Santo não era uma pomba, nem língua de fogo, nem vento. Ele deu esses sinais de sua presença, mas nunca tomou forma. Deus é um só ser em três pessoas e nenhuma das pessoas da Trindade é inferior ou maior do que as outras. Deus é Trindade de pessoas divinas distintas entre si, mas indivisíveis, porque não se trata de triteísmo, três deuses, e, sim, de

XVII. Santos e pecadores

monoteísmo: fé em um só Deus, que é três pessoas. Não há como explicar; ou se crê ou não se crê. Por isso é que se chama dogma de fé. Mas é esta fé que nos distingue das outras chamadas grandes religiões do mundo. Somos monoteístas-trinitários.

11. Já havia bispos e dioceses independentes, quando o bispo de Cartago, São Cipriano (200-256?), propôs que a Igreja fosse liderada por bispos. Era gente demais ensinando em nome de Jesus. Acontecia até mesmo que alguém que tivesse sofrido prisão, tortura ou martírio pela fé ouvisse confissões e absolvesse dos pecados, por entender que seu sofrimento lhe dava autoridade de ligar e desligar aqui na terra. A partir de seu martírio agia como líder da fé.

12. Leigos cultos, como Tertuliano e Orígenes, ensinavam teologia e, na verdade, sabiam mais do que os bispos. Eram respeitados por isso. Mas quando formaram correntes, que feriam a unidade, foram censurados. Tertuliano, que propunha disciplina rígida demais, acabou rompendo com os católicos de então. Orígenes se ordenou sacerdote, mas muito do que ele ensinou também não foi aceito, embora se conservem ainda hoje muitos dos estudos de ambos sobre Cristo.

13. A eclesiologia do bispo São Cipriano de Cartago era direta e visava à unidade. Propunha uma igreja cuja autoridade devia assentar-se sobre os bispos e não sobre leigos ou políticos. Ele hierarquizou e clericalizou a Igreja a partir dos **epíscopos**. Embora hoje haja quem o critique por ter acentuado demais o poder do bispo, muitos admitem que essa opção salvou o cristianismo, caso contrário teria se esfacelado em milhares de seitas, mais do que mesmo assim se pulverizou e continua se pulverizando.

14. Em muitos casos, como nos governos de Constantino e Teodósio, o imperador convocava os bispos para discutirem questões de teologia e de cristianismo e impunha seu ponto de vista. A fé fora politizada ao extremo. Mais tarde, dos séculos

166

VIII ao XII, tornou-se tão grande a ingerência de famílias poderosas e de alianças políticas, que muitos papas foram impostos à Igreja. Outros compraram sua eleição. Naquele tempo, elegiam-se leigos para papa. Um nepotismo escancarado levou papas a nomearem parentes para altos cargos na Igreja. Foram períodos dolorosos para a fé católica extremamente politizada. Com a família Borja, outra vez, no século XVI, a Igreja conheceu líderes indignos que deixaram profundas feridas em sua história.

15. No passado, como hoje, foram e são inúmeras as visões e os enfoques de cristianismo. Um pequeno exemplo disso foram as heresias dos **monofisistas** e dos **monotelistas,** que, nos primeiros séculos e até o século VII, marcaram a Igreja, imperadores e as políticas locais. Uns a dizer que Jesus era duas pessoas, ou que era uma só pessoa com uma só natureza divina, ou que era uma só pessoa, com uma só vontade, a divina. Naquele tempo os cristãos comuns não sabiam explicar, como hoje muitos ainda não sabem. Então obedeciam ao ensinamento de seu pregador preferido, que nem sempre ensinava o que a maioria dos cristãos e católicos ensinava.

Em tempo, as igrejas cristãs de hoje ensinam que Jesus é uma só pessoa, com duas vontades e duas naturezas: a divina e a humana. Naqueles dias isso levava a guerras e brigas, porque ora o imperador apoiava e dava mosteiros e templos a um grupo, ora a outro. As discussões acabavam em favores políticos e posse de templos e territórios. Por exemplo, o velho papa Dono, que governou a Igreja de 676 a 678, ao descobrir que um mosteiro era ocupado por monges nestorianos, que pregavam que Jesus era duas pessoas, demitiu os monges e indicou outros para aquele mosteiro.

***

Teólogos as engendram, fundadores de igrejas, que hoje em dia são mais pregadores do que teólogos, mais motivadores do que pensadores, implantam-nas. Quando as lideranças percebem, já fizeram milhares ou milhões de adeptos. Hoje, a força das antenas multiplicou por milhões o alcance da fala do prega-

XVII. Santos e pecadores

dor. Assim, o pregador pensador e teólogo perdeu para o pregador animador e operador de curas e exorcismos.

As multidões preferem ficar com a pregação que anuncia o Deus que faz e acontece a ficar com a pregação de **quem** ou **como é Deus**. Encanta-os mais o pregador que dá hora e local para curas e milagres, porque **lá Deus estará operando** maravilhas. As Igrejas de resultado sempre cresceram mais do que as igrejas do postulado e da reflexão. Pode não parecer, mas a grande maioria dos crentes procura não o Deus que é quem é e, sim, o Deus que resolve seus problemas. Então, para eles, tanto faz se Jesus era duas ou uma pessoa, ou se tinha duas ou uma só natureza. Querem saber se ele cura e liberta do demônio. Pregador que aponta para essa direção, quanto mais milagres acontecerem em seus templos, mais fiéis conseguirá, a ponto de no Brasil um dissidente de novel igreja pentecostal, em menos de 10 anos, ter sangrado em quase 30% a igreja da qual saiu. E ele desafia em voz alta, por rádio e televisão, as outras igrejas para que mostrem maior poder de curas do que sua nova igreja. Deus existe, faz e atua naqueles templos e o escolhido agora é ele!

***

Os que mais falam na mídia têm sido os pregadores e não os pensadores da fé. Estes não chegam à imensa maioria do povo. O contato com as massas hoje é maior por parte dos que têm parcos conhecimentos e pouca profundidade teológica, mas encantam o povo com seu jeito de ser. Ário também era assim, mas tinha cultura e sua teologia não era nada superficial. Por isso durou séculos desafiando a Igreja Católica.

***

Os bispos católicos, que em geral são estudiosos da fé, e os teólogos e mestres são, hoje, menos ouvidos e menos seguidos. Um dos conflitos que pouco a pouco se delineia no horizonte das igrejas é o do *mathéin* contra o *pathéin*. São duas buscas por Deus que não teriam de se excluir, mas que andam se excluindo por excesso de influência de uma das duas correntes. **Tentar entender ou tentar tocar?**

Nós, os católicos romanos

168

16. Calcula-se em 22.000 as denominações cristãs até hoje catalogadas. A imensa maioria se formou ouvindo os pregadores e não os teólogos. No Brasil são milhares as denominações cristãs que se definem ou como *igrejas de Cristo*, ou como assembleias ou, ainda, como congregações independentes. Todas elas professam fé em Jesus. Congregam-se em seu nome.

17. Em templos, nas ruas e praças, no rádio e na televisão, a maioria das igrejas cristãs prega o cristianismo vivido por determinada comunidade. Entre esses grupos está a mais antiga das igrejas que se chama Igreja Católica Romana. Vimos que a Igreja que se denomina Cristã Católica Apostólica Romana e se propõe ser Una e Santa é fortemente centrada na autoridade do Papa e dos Bispos. Ela não se declara perfeita. Nos mais diversos documentos, intitula-se não a **Igreja do Caminho** e sim **Igreja a Caminho**, peregrina, discípula-missionária, aprendiz em busca daquele que é o Caminho, a Verdade e a Vida.

18. Não falta quem nos combata fortemente, a ponto de um ou outro mais exaltado chutar nossos símbolos diante de câmeras. Mas isso não chega a ser novidade. Aconteceu nos primeiros séculos com os *iconoclastas*. Repetiu-se no século VIII, no tempo do imperador Leão III, que proibia o uso e a exposição de imagens. O papa Gregório III (731-741) convocou um concílio no qual os bispos excomungavam quem destruísse imagens sagradas. A mesma fúria voltou nos séculos subsequentes. Sempre haverá quebradores de imagens a se considerarem heróis e defensores da verdadeira fé, sem perguntar quando a Bíblia permite e quando proíbe seu uso. Sentem-se mais de Deus que os escritores sagrados.

A discordância muitas vezes acabou em atos de violência, de calúnia e de provocação de uma igreja contra a outra. A maioria dos conflitos começou no púlpito, após pregações inflamadas de um pregador excludente que via sua nova igreja como o Novo de Deus.

Nem sempre o que alguns fiéis fazem é ponto de vista de uma igreja. Mas, após ouvir seus pregadores, sentem-se autorizados a combater os cristãos que não oram nem pensam como eles, seguros de que Jesus os elegeu para purificarem sua mensagem.

XVII. Santos e pecadores

19. Um judeu piedoso e convicto se converteu para Jesus enquanto prendia e tentava destruir a Igreja que nascia. Chamava-se Saulo e tornou-se Paulo, o maior divulgador da Igreja que ele combatia. As exigências são **misericórdia, tolerância e compaixão**. Anunciar Jesus sem tais atitudes é negá-lo.

20. Vimos que nossa Igreja busca suas raízes na Palavra escrita, nos apóstolos, nos padres apostólicos e na tradição. Costumes foram aceitos, costumes mudaram, costumes se firmaram. O tempo mostrou sua sabedoria ou o risco de mantê-los. Jesus não ordenou diáconos, nem mulheres, nem acólitos, nem cardeais. As igrejas ou rejeitaram ou introduziram tais ministérios. O costume do diálogo nem sempre prosperou entre os cristãos e ainda hoje há grupos que resistem a ele. Temos, todos, a tendência de exaltar o que é nosso e diminuir o que é dos outros. Fazemos o mesmo com nossa fé e com nossa Igreja.

21. Posições exacerbadas de todas as partes geraram as duas grandes divisões que sacudiram a Igreja Católica nos séculos XI e XVI. Com o patriarca oriental, Miguel Cerulário (em 1054), começa a Igreja Ortodoxa, e, com o monge agostiniano Martinho Lutero (a partir de 1517), começam movimentos evangélicos, também intitulados igrejas e protestantes. Hoje há as igrejas pentecostais, não poucas vezes em conflito com evangélicos e católicos por conta de suas práticas. Mas antes, ou simultaneamente, houve outras propostas de cristianismo em confronto com os católicos sob a liderança de John Wycliffe (1330-1384), João Huss (1369-1415) e Calvino (1509-1564)

22. São histórias dolorosas, porque nenhuma ruptura é suave. Muitos declararam-se e ainda hoje se declaram ex-católicos. Romperam com a liderança de sua Igreja por acharem que poderiam oferecer uma visão mais pura do Cristo e dos Evangelhos. Interpretações do cristianismo ensaiadas e estruturadas por dissidentes geraram magnos debates, que se acaloravam de tal forma que houve até violência inaudita e escaramuças de rua, templos queimados, ação armada contra quem esposasse outros conceitos.

Nós, os católicos romanos

170

23. O conjunto de doutrinas fundamentais, expresso no **Credo dos Apóstolos**, também chamado Niceno-constantinopolitano, que é feito pela maioria dos cristãos, levou quase 800 anos para ser aceito. Os historiadores das mais diversas igrejas, como era de se esperar, não são unânimes quanto às origens e aos porquês de cada igreja. Como em tudo que o homem registra, há, no processo, o dedo e o olho da fé, o da descrença ou o da pertença.

24. Santos e pecadores, temos graças a dar pelos nossos santos confessores, educadores, pacificadores, servidores e mártires e muito perdão a pedir pelos nossos pecadores, incluindo nós mesmos entre eles. Aos que, proselitistas incorrigíveis, irados e interessados em nos diminuir, escrevem livros agressivos contra os católicos e pregam em seus templos e escolas, contando as tristes histórias de alguns de nossos papas, bispos, sacerdotes e leigos que não se mostraram dignos de sua vocação, devemos responder que, sim, somos pecadores.

25. Deveríamos até lhes dar uma lista de nossos maiores pecadores, devolvendo a gentileza de lhes dar, também, a lista dos pecadores e ditadores ateus, dos pecadores e ditadores das outras igrejas, inclusive da Igreja de quem nos acusa, porque, se ele não tem como saber dos pecados deles, nós sabemos tanto quanto eles sabem dos nossos.

26. Se quisermos achar pecado nos outros cristãos, acharemos montanhas deles. Mas, se quisermos achar virtude e santidade em todas as igrejas, também acharemos montanhas. E, se quiserem comparar para ver quem teve mais santos e mais pecadores, que igreja mostrou mais milagres, podemos sugerir que esperem até que suas igrejas tenham 19 ou 20 séculos como a nossa. Então, poderemos falar em números.

27. Mas seria discussão antiética e nociva, que mostraria de ambos os lados nossa incapacidade de ver a luz de Deus um no

171

outro. Nem tudo é fácil e simples quando o assunto é religião. Passa por lideranças fortes, indivíduos com vontade férrea e fiéis que seguem muito mais um líder do que verdades, ideias e doutrinas e dogmas. E há sempre a tentação dos números e dos templos cheios, que faz muitos pregadores perderem o bom senso e fazer concessões inadmissíveis a um discípulo de Jesus.

28. Se hoje se registram milhares de enfoques para a fé cristã, perceptíveis em mais de 1500 programas diários de rádio no Brasil, imaginemos os primeiros séculos, com tantos manuscritos apócrifos e tantos pregadores a analisar Jesus e sua mensagem e a se proclamarem seus mais novos porta-vozes. Nem sequer se sabia o verdadeiro nome do autor do opúsculo, mas atribuía-se a algum apóstolo ou a algum dos que tinham vivido com Jesus. Quem lia não sabia a origem do texto. Tinha de descobrir o que era autêntico ou não. A virtude do discernimento salvou muitos e afundou milhões de outros em doutrinas erradas e ideias errôneas sobre Jesus.

29. Discernir entre o autêntico, ou verossímil, e o falso era tão difícil ontem, como é difícil hoje saber quem está inventando revelações e milagres, enriquecendo e promovendo-se com isso e quem pode provar que realmente anuncia Jesus e não chama os holofotes apenas para si mesmo, ou apenas para seu grupo de fé. É só observar como falam e o que cantam. A fala e a canção traem seu ângulo!

30. O conceito vem de Aristóteles (séc. 4 a.C.): entre os crentes em Deus ou em deuses há muito mais *pathéin* do que *mathéin*. Embora haja controvérsias quanto ao verdadeiro sentido desses termos, pode-se afirmar que **os fiéis buscam mais a experiência pessoal e o sentir da fé que a análise e o profundo das doutrinas**. Em geral, vence quem motiva melhor e não quem oferece mais conhecimentos.

31. Poucos cristãos pedem a graça de aprofundar e estudar o que foi revelado. Poucos agem como Maria, que ouvia e guardava no coração tentando entender aqueles acontecimentos (Lc

Nós, os católicos romanos

172

2,19). Ela aceitou, mas quis entender e expressou seus porquês interrogativos e exclamativos. Santos e pecadores, cristãos de todas as igrejas revelam enorme *dificuldade de pensar a fé*. Não foram educados para pensar com Jesus e como Jesus...Preferem não ter de pensar sua fé. O caminho da compreensão é muito mais difícil do que o da adesão entusiasmada.

32. Tempos houve em que se acentuou demais o sentir e o intuir. Depois se exaltou a discussão, que levava a escaramuças diante dos templos. *É, não é, disse, não disse!* Nos dias de hoje venceram, quase que de ponta a ponta, com o auxílio de sua forte presença na mídia, os cristãos com acento no *vencer, no poder, no resultado, na vitória, no sucesso* e, outra vez, *na eleição, no sentir, no tocar e no intuir*. A linguagem é a do cristão **mais do que vencedor** em Cristo (Rm 8,37).

33. Venceram os pregadores e motivadores da fé, inclusive os que visivelmente demonstram indisposição para o estudo e para a leitura, mas falam a milhões de ouvintes nos púlpitos eletrônicos de suas igrejas, quase sempre dizendo, dia após dia, as mesmas palavras e as mesmas coisas.

34. Nas mesmas igrejas, perderam audiência os bispos e sacerdotes cultos e preparados, os teólogos, os pensadores, os especialistas e mestres. Em vez de buscar Deus para sabermos mais sobre seu ser, a pregação busca pelo que Ele pode nos oferecer: paz, curas, bênçãos e milagres. *"Quem és?"* anda ofuscado pelo *"o que podes me dar?"*

35. Venceu a pregação da certeza contra a do talvez. Venceu o "é assim" e perdeu o "talvez seja". Os pregadores convictos de sua eleição não contemplam a hipótese de estarem confusos ou errados. Apostam na revelação recebida, no entusiasmo, na asserção. E se alguém os apostrofa ou questiona, detentores de poder sobre as massas, semeiam a ideia de que quem os questiona está questionando Jesus.

XVII. Santos e pecadores

173

36. Às vezes, quando um irmão, pelo que ouve e vê, interroga se eles de fato têm Jesus, polemistas preparados em busca de adeptos garantem que o irmão que os questiona serve ao demônio, por negar a evidência do milagre. Mas foi Jesus quem mandou que não seguíssemos tais porta-vozes dele.

Porque surgirão falsos cristos e falsos profetas e farão tão grandes sinais e prodígios que, se possível fora, enganariam até os escolhidos. Portanto, se vos disserem: Eis que ele está no deserto, não saiais. Eis que ele está no interior da casa, não acrediteis.

37. Grande número deles, visivelmente emotivo e tocado por alguma força, que garante que vem do alto, desafia a psicologia e a teologia de suas igrejas atribuindo fenômenos de difícil explicação aos demônios ou a anjos. Até demônio da dengue, da unha encravada e da diarreia ou demônio do baixo astral eles criaram para explicar doenças e sofrimentos, que os pobres não têm como resolver.

38. Esses emotivos, que chegam à liderança de milhares de irmãos, diminuem os outros motivos da fé. Concentram-se por horas no convite para os fiéis irem ver Deus agindo e para presenciarem curas e libertações, milagres e testemunhos. Chamam-nos para constatarem o que Jesus fez por eles e por suas igrejas. A proposta é bíblica: **Vinde, vede, presenciai** (Jo 1,39). É fé que mostra resultados! Mas quase sempre falta a catequese progressiva, que vai além do prodígio e do encanto.

39. Alguns desafiam outros grupos diante das câmeras como outrora fez Elias, diante dos sacerdotes de Baal, para que mostrassem mais curas e milagres do que eles. Canonizam o fazer e o acontecer... A prova de sua eleição é o número de milagres que ali acontecem. Outra vez leiamos Mateus a respeito da fé sem milagres, dos milagres com fé e dos milagres sem fé. A essencialização do milagre tende a diminuir os outros motivos essenciais da fé, como a caridade e o discernimento.

Nós, os católicos romanos

174

40. E Jesus lhes disse: por causa de vossa pouca fé; porque em verdade vos digo que, se tiverdes fé como um grão de mostarda, direis a este monte: Passa daqui para acolá, e há de passar; e nada vos será impossível (Mt 17,20–21).

***

Então Jesus lhe disse: Se não virdes sinais e milagres, não crereis (Jo 4,48).

***

Disse-lhe Jesus: Porque me viste, Tomé, creste; bem-aventurados os que não viram e creram (Jo 20,29).

***

Uma geração má e adúltera pede um sinal, e nenhum sinal lhe será dado, senão o sinal do profeta Jonas. E, deixando-os, retirou-se (Mt 16,4).

***

Porque surgirão falsos cristos e falsos profetas, e farão tão grandes sinais e prodígios que, se possível fora, enganariam até os escolhidos. Eis que eu vo-lo tenho predito. Portanto, se vos disserem: Eis que ele está no deserto, não saiais. Eis que ele está no interior da casa; não acrediteis (Mt 24,24-26).

41. Quando a fé no Deus que forma lentamente seus filhos é substituída pela fé no Deus que intervém com prodígios em todos os encontros da comunidade e faz coisas acontecerem diante de nossos olhos, estamos diante de um dilema: o Deus educador cede lugar ao Deus que encanta. Deslumbrados com sua fé, sobra-lhes pouco tempo para o vislumbre. Escolhem em sua Bíblia o Deus dos prodígios e dão menos valor ao Deus que nos leva a pensar na justiça e na paz. Assim o Deus **que fez minha vontade** é mais eficaz do que o Deus **cuja vontade eu quero que seja feita**.

XVII. Santos e pecadores

175

42. O sujeito e o alvo da fé tornam-se o próprio indivíduo. Deus se torna referência ou trampolim, mas nessas pregações tudo funciona como bumerangue espiritual. Chega-se a propor que quem quiser ver milagres venha a eles no domingo à tarde às 15 horas, ou no dia 6 de maio, porque lá Deus vai operar maravilhas. Da fé exacerbada à fé megalômana é um passo. De tanto afirmar que ele, o pregador, tem trânsito com o Todo-Poderoso, que o escolheu, ele começa a dar ordens até ao céu: eles "determinam" até a hora da graça. Elias, ébrio de fé exacerbada, conseguiu o milagre, mas depois mandou matar os 450 sacerdotes de Baal a quem derrotara no debate (1Rs 18,21-40).

43. Quem lida com o maior assunto da vida, que é o trato da criatura com o Criador de tudo, e diz que foi escolhido por Ele para modificar ou restaurar seu povo e seu tempo está, implicitamente, dizendo que seu ministério é maior do que qualquer outro. Afinal, Deus dá ordens diretamente a ele. É significativa a frase de Elias:

Então disse Elias ao povo: Só eu fiquei por profeta do SENHOR, e os profetas de Baal são quatrocentos e cinquenta homens (1Rs 18,22).

44. Quando a fantasia supera a teologia, já não estamos mais no terreno da fé, nem do cristianismo e, sim, de ilusionismo ou afirmacionismo. É sobre o porquê das coisas e sobre a solidez de conceitos que a Igreja Católica tem se debruçado em sucessivos documentos, nem sempre com resultado positivo, porque milhões não ouvem, não estudam nem leem. Variadas vezes o pregador preferido não os cita, porque tem pregação própria para oferecer. O que ele disser vira lei. O que dizem o papa e os bispos não chega a eles.

45. O que deveria ser uma sólida eclesiologia tornou-se uma esteira de testemunhos pessoais, um após o outro. É a razão pela qual milhões de fiéis nem sempre conseguem definir o que para eles significa ser cristão católico. Milhões nunca leram os Documentos do Vaticano II (1962-1965), nos quais a Igreja fez um gigantesco

Nós, os católicos romanos

176

estudo de si mesma e do mundo em que vive. Aqueles documentos foram sua proposta de pensar e viver como católicos em um tempo que se prenunciava desafiador, como de fato tem sido.

46. Foi o caso de quatro pregadores, cuja catequese foi imprecisa e pôs em risco a fé católica de seus ouvintes. Era convicção deles, mas não era da Igreja e não tinham o direito de gritar ao microfone, para milhões de irmãos menos estudados e preparados, o que era apenas seu modo de interpretar a Palavra de Deus.

47. **Fim dos tempos:** A Igreja já disse o que pensa dessas pregações ao condenar Joaquim di Fiori com sua catastrófica pregação escatológica. Um deles garantiu que o fim dos tempos está próximo e que nossa libertação se aproxima. Deu data. Garantiu que os presentes ao encontro testemunhariam os últimos dias e garantiu que o anticristo já reinava no mundo e que estamos molhados de sua chuva! Passou por cima do texto e da pregação serena da Igreja, impondo aos ouvintes seus temores.

Mas daquele dia e hora ninguém sabe, nem os anjos, que estão no céu, nem o Filho, senão o Pai (Mc 13,32).

48. **O Dízimo**
Motivar corretamente para a doação do dízimo é uma coisa. Fazer terrorismo com ele é outra. O pregador contou na televisão, para milhões de fiéis, que um fazendeiro perdia todo ano a décima parte das cabeças de gado. Um dia o procurou pedindo uma bênção. Além da bênção, o pregador sugeriu que a perda de 10% do gado era Deus levando o dízimo que o fazendeiro não dava. Segundo seu testemunho, assim que o fazendeiro começou a dar os 10%, o gado parou de morrer. Foi aplaudido. Não deveria! Não é o que a Igreja ensina. A história é estapafúrdia e mostra um Deus implacável cobrador de dízimo, coisa que um pregador pode ser, mas que Deus jamais seria.

O dízimo é uma boa prática, mas não pode ser motivado dessa forma. Deus não mata animais indefesos para se vingar do dono.

XVII. Santos e pecadores

49. Maria Virgem

Outro afirmava que, se Maria não fosse virgem, Deus certamente não a teria escolhido para ser Mãe do Cristo. Alegou que a virgindade é mais santa do que o casamento. Repetiu uma antiga heresia, que desprezava a santidade e a pureza do matrimônio, dando a entender que toda e qualquer forma de sexo é pecaminosa. Disse textualmente que, se Maria tivesse entregado a virgindade a José, seu ventre não seria digno de hospedar o Filho de Deus.

Não é o que a Igreja ensina. O fato de crermos que Maria foi virgem e não teve outros filhos não significa que a mãe de Jesus teria de ser virgem. Se Deus escolhesse nascer de uma mulher santa, casada e com filhos seria também grandioso e belo. Mas Maria era virgem e assim permaneceu. Cremos que assim foi.

Nem a Bíblia, nem nossa Igreja, que se firma na Bíblia, ensinam que homem e mulher que se entregam em matrimônio perdem a santidade e a pureza. O casal que vive seu matrimônio em Cristo é tão santo quanto os que optaram pela virgindade consagrada. São duas formas de entrega de si ao Reino de Deus.

50. Estranho DNA: O quarto, mais poeta do que profeta, gongoricamente anunciou que as lágrimas de Maria misturaram-se ao sangue de Jesus, que jorrava da cruz, e que essa comunhão de sangue e lágrimas juntou o DNA do Filho com o da Mãe a sofrer; por isso é que a prece de Maria é infalível e ela tudo consegue... Foi deslumbramento e está longe de ser vislumbre.

A Igreja nunca disse nem jamais diria isso. Mas, dito ao microfone para milhares, cria um impacto fantástico sem teologia ou eclesiologia, reverso da Eucarística. Enganou quem o ouviu, porque interferiu erroneamente na doutrina da Igreja que ele pretendia representar.

51. Vivemos hoje nas igrejas a **cultura do afirmar sem provas e do autoenvio.** Muitos designam-se para uma missão que lhes agrada. É o personalismo. Atinge toda a sociedade. Cria-

Nós, os católicos romanos

178

mos uma sociedade de respostas imediatas, muitas das quais carecem de fundamento. De cada mil milagres anunciados talvez um seja questionado. Aceita-se, sem a menor reflexão, o anúncio do milagre. Falta o "vai e mostra-te aos sacerdotes" (Mc 1,44).

52. Pregador algum tem, sozinho, o conteúdo necessário da fé. Muitos pregadores afirmativos demais geram nos fiéis tal dependência de sua palavra e criam fiéis púlpito-dependentes, o que se assemelha à toxicodependência. Precisam ouvir seu pregador várias vezes ao dia e várias vezes por semana. Encostam a um canto a Bíblia e qualquer outro livro em troca da palavra de seu instrutor espiritual.

Nenhum outro pregador lhes serve, a cultura cristã passa a valer menos do que a mensagem diária ou semanal daquele homem convicto, que é mais seguido do que a Bíblia. Seu poder de persuasão situa-se acima de todos os outros livros escritos por outros pensadores da fé, por mais especializados que sejam. É a era da persuasão da qual falavam os Salmos 35,20, Jeremias 9,4, Mateus 24,5 e Mc 13,22.

53. Livros de estudos aprovados por toda a Igreja raramente são lidos. Mas livros de revelações particulares ou de visões e inspirações estão na maioria dessas casas. O outro pregador que se propõe a ensinar a pensar a fé é rejeitado. É doutor para os outros, mas não para eles. Foi assim que Ário, Nestório, Donato, Êutiques e dezenas de pregadores marcaram época. Quem garante que Deus lhe fala e que tem um recado novo de Deus para dar tem muito mais ouvintes. Se curar e expulsar demônios terá multidões. É a era do "ver para crer", atitude contra a qual Jesus se pôs alertando Tomé. Você diz que crê porque viu... Fé prodigiosa nem sempre é fé dadivosa. Fé no prodígio nem sempre é fé na Palavra.

54. Essas reflexões pretendem levar os que se proclamam **católicos, apostólicos e romanos** a não se prenderem a apenas uma linha de pensamento, a uma só mística e a um só tipo de

XVII. Santos e pecadores

leitura. Se, como acentuam nossos adversários, tentando atingir a maior igreja cristã destes 20 séculos, tivemos papas e pregadores que mancharam a História e a Teologia Católica, nós, os católicos romanos, tivemos centenas de papas e pensadores eminentes, que deixaram, para incentivo nosso, marcas profundas de transformação e de conversão.

55. Foram até o momento desta edição 265 papas e cerca de 40 antipapas, que disputaram a liderança de nossa Igreja contra os legítimos líderes. Foram milhares de missionários civilizadores, criadores de cidades e de obras gigantescas em favor dos pobres, milhares de mártires, libertadores de escravos, servidores que iam à rua cuidar dos desprovidos, doutores que ofereceram sua cultura a serviço da fé, ricos que se tornaram pobres por amor aos pobres, missionários que contraíram as enfermidades do povo ao qual serviam.

56. A história dos católicos está repleta de confessores, virgens, casais magníficos, governantes sólidos, sábios papas e bispos, sábios e dedicados sacerdotes, leigos adultos e jovens, que viveram pelos outros e para os outros, em Cristo, com Cristo e por Cristo. São esses irmãos os modelos de seguidores de Cristo que queremos destacar. Por isso pomos suas imagens e pinturas em lugares visíveis e pedimos, não às imagens, mas a eles, por elas representados, que no céu intercedam por nós e orem conosco. Não adoramos, mas gostamos das imagens, porque sabemos quem elas representam. Católico não fala com imagem. Se falar terá de ser corrigido.

57. Continuamos a dizer que o céu não esperará um milhão de anos, ou o toque da última trombeta, após o último dia da terra (1Ts 4,16). No tempo de Paulo havia as duas versões. Uma com prazo e outra sem prazo. Para nós Jesus virá quando ele quiser e, consoante promessa sua, levar-nos-á com ele e estaremos onde ele está (Jo 14,3). Há os que dizem que a consumação final será com o último momento da humanidade e que a plenitude ainda não aconteceu para ninguém.

Nós, os católicos romanos

180

58. E há nós, os católicos e outras igrejas, a apontar para a misericórdia e para textos de misericórdia como Êx 33,19 e Dt 5,10; Nm 14,19; Mt 9,13. Ele é redentor que redime e não nos faz esperar milênios até nos levar para o encontro definitivo. Por isso oramos aos santos, porque cremos que o céu está repleto deles, inclusive de irmãos de todas as religiões que amaram corretamente (Mt 25,31-46). O inferno não é para nossos adversários, e o céu é para todos, inclusive para eles, porque quem decide a sorte final de uma alma é Deus e não o pregador enfatuado que chega a criar demônios para expulsá-los. Até demônio da dengue, da cefaleia e da unha encravada já se viu expulsos nos templos e em congressos. Nossa Igreja desaconselha tais cultos. Falamos aos santos, que do céu nos ouvem, mas que raramente se manifestam. E, quando isso acontece, o bispo deve questionar o vidente. A maioria dos bispos o faz. Examinam cuidadosamente para discernir se é sincero, se é impostura, se é de Deus e se não vai contra a Bíblia e nossa tradição cristã. É que já vimos tudo isso no passado e sabemos em que pode dar. Tivemos videntes santos e videntes nada santos.

59. Não temos certeza de tudo, mas esta é uma das certezas mais católicas que há: **Cristo salva e nos leva ao Pai, o céu está repleto de bilhões de almas salvas por Jesus Cristo. Por isso oramos a estes irmãos que estão vivos em Cristo e no céu, para onde um dia esperamos também nós irmos, muito antes do último dia da humanidade.**

Santos e pecadores, cremos que o amor vencerá! O céu não é para depois. É para o logo da misericórdia de Deus.

XVII. Santos e pecadores

Índice

Prefácio: Por que este livro? | 3

I. O conceito de Deus | 5

II. O Cristo da História e o Cristo da Fé | 17

III. Ser Igreja de Cristo | 25

IV. Os livros que nos deram o Livro | 39

V. Dogmas e doutrinas | 55

VI. As ênfases dos católicos | 65

VII. Moral Católica | 71

VIII. Os sinais de Deus entre nós | 85

IX. Sereis minhas testemunhas | 105

X. Maria: a testemunha | 113

XI. Ser católico hoje | 119

XII. Católicos em defesa da vida | 131

XIII. A comunicação dos católicos | 135

XIV. Católicos pró-sociais | 141

XV. Católicos em oração | 147

XVI. As orações dos católicos | 153

XVII. Santos e pecadores | 161

Sobre o autor

José Fernandes de Oliveira, o padre Zezinho, nasceu em Machado, MG, em 8 de junho de 1941. É um dos sacerdotes mais conhecidos do Brasil. É referência no campo da comunicação religiosa. Realizou e ainda realiza trabalhos pioneiros na pastoral da comunicação católica.

Ordenado padre aos 25 anos de idade, logo assumiu o teatro, a música e os meios de comunicação da época. Procurou e conseguiu fazer uma linguagem inteligente, acessível, elucidativa, solidária e comprometida com as pastorais da Igreja. Trabalhou 17 anos na Pastoral das Vocações; lecionou Comunicação por 31 anos e escreve prolificamente sobre esse tema. Estudou Teologia e Psicologia nos Estados Unidos. Ao voltar, direcionou seu trabalho para as escolas e para a juventude, em uma iniciativa pioneira, por trabalhar com música, dança e teatro na catequese. Tem sido um descobridor e incentivador de talentos.

Padre Zezinho, scj, é dehoniano, congregação que, a partir do fundador, o sociólogo e escritor Padre Leão Dehon, scj, dedica-se aos temas sociais e à comunicação libertadora e reparadora. Criou programas de repercussão como: "Um olhar sobre a cidade"; "A hora e a vez da família"; "Tempo e contratempo"; "Palavras que não passam"; "Pensar como Jesus pensou".

Atua em rádio e TV e em mais de 100 emissoras católicas. Escreveu 88 livros e compôs 120 discos e CDs falados e cantados.

Ao todo são mais de 250 obras publicadas por ele, que é reconhecidamente um pioneiro e um referencial na Comunicação Católica no Brasil e no exterior.

A marca FSC® é a garantia de que a madeira utilizada na fabricação do papel deste livro provém de florestas que foram gerenciadas de maneira ambientalmente correta, socialmente justa e economicamente viável.

Este livro foi composto com as famílias tipográficas Calibri, Great Vibes e Times New Roman e impresso em papel Offset 75g/m² pela **Gráfica Santuário**.